CYNNWYS

ALLWEDD

 Ysgrifennu

 Gwylio fideo

 Siarad

 Darllen

 Gwrando ar gasét

CYMRAEG A GWAITH

Y BYD O'N CWMPAS

CYMRAEG AIL IAITH

UNED IAITH GENEDLAETHOL CYMRU
CBAC

Argraffiad cyntaf Mawrth 2000

Comisiynwyd gyda chymorth ariannol Awdurdod Cymwysterau, Cwricwlwm ac Asesu Cymru.

Cyhoeddwyd gan Uned Iaith Genedlaethol Cymru, Cyd-bwyllgor Addysg Cymru,
245 Rhodfa'r Gorllewin, Caerdydd. CF5 2YX

Mae Uned Iaith Genedlaethol Cymru yn rhan o WJEC/CBAC Cyf., cwmni a gyfyngir gan warant ac a reolir gan awdurdodau unedol Cymru.

Lluniwyd y testun gan **Linda Thomas** a **Non ap Emlyn**

ISBN 1 86085 430 3

Paratowyd y gwaith hwn ar gyfer cyflwyno Cymraeg Ail-iaith mewn cyd-destun galwedigaethol ac mae'n arbennig o berthnasol i'r cwrs GNVQ. Fodd bynnag, mae elfennau ohono'n berthnasol i gyrsiau eraill hefyd, megis TGAU, Cymraeg Ail-iaith.

Cydnabyddir yn ddiolchgar y cymorth a gafwyd oddi wrth y canlynol:
Carol Ann Jones
Margaret Jones
Peter Rees
Alwena Thomas
Emrys Wynne
Bwrdd Croeso Cymru
Bryn Edwards, BBC Cymru
Cwmni Bysiau Caelloi
Eluned Haf
Rhys Llewelyn Jones
Mari Lois Williams
Gareth Davies
Elizabeth Jones
Myfyrwyr a staff Adran y Gymraeg, Ysgol Syr Thomas Picton, Hwlffordd
Urdd Gobaith Cymru
Canolfan Croeso Cymru, Caerdydd
Mark Johnson
Sŵ Môr Môn

Dyluniwyd gan **W Mostyn Davies**

Argraffwyd gan Gwmni Argraffu Hackman, Cyf., Tonypandy, Rhondda Cynon Taf

HELP!

Atebwch.	*Answer.*	Atebwch y cwestiynau.	*Answer the questions.*
		Atebwch y llythyr.	*Answer the letter.*
Dangoswch.	*Show.*	Dangoswch y daith ar y map.	*Show the route on the map.*
Darllenwch.	*Read.*	Darllenwch yr hysbysebion.	*Read the adverts.*
		Darllenwch y darn.	*Read the passage.*
Dechreuwch.	*Start.*	Dechreuwch weithio.	*Start working.*
Defnyddiwch.	*Use.*	Defnyddiwch eich nodiadau.	*Use your notes.*
Dilynwch.	*Follow.*	Dilynwch batrwm . . .	*Follow the pattern of . . .*
Dwedwch, wrth.	*Tell.*	Dwedwch wrth eich partner (chi).	*Tell your partner.*
Edrychwch.	*Look.*	Edrychwch ar y fideo.	*Look at the video.*
Ewch.	*Go.*	Ewch i Daflen 5.	*Go to Sheet 5.*
Ffeindiwch	*Find.*	Ffeindiwch allan (am ...).	*Find out (about ...).*
Gofynnwch.	*Ask.*	Gofynnwch y cwestiynau.	*Ask the questions.*
Gosodwch.	*Set up.*	Gosodwch yr arddangosfa.	*Set up the exhibition.*
Gwrandewch.	*Listen.*	Gwrandewch ar y casét.	*Listen to the cassette.*
		Gwrandewch ar yr atebion.	*Listen to the answers.*
Gwnewch.	*Make./Do.*	Gwnewch holiadur.	*Make a questionnaire.*
		Gwnewch graff.	*Make a graph.*
		Gwnewch restr.	*Make a list.*
		Gwnewch nodiadau.	*Make notes.*
		Gwnewch hyn ddwywaith.	*Do this twice.*
Gwyliwch.	*Watch.*	Gwyliwch y fideo.	*Watch the video.*
Helpwch.	*Help.*	Helpwch eich gilydd.	*Help each other.*
Llenwch.	*Fill.*	Llenwch grid fel yr un yma.	*Fill in a similar grid.*
		Llenwch y bylchau.	*Fill in the gaps.*
Meddyliwch.	*Think.*	Meddyliwch am hyn.	*Think about this.*
Siaradwch.	*Talk.*	Siaradwch am hyn.	*Talk about this.*
Ticiwch.	*Tick.*	Ticiwch yr atebion cywir.	*Tick the correct answers.*
Ysgrifennwch.	*Write.*	Ysgrifennwch yr atebion.	*Write the answers.*

Canolfan	Centre
Croeso	Welcome
Canolfan Croeso	Tourist Information Centre

Aseiniad 1

Dych chi'n gweithio mewn Canolfan Croeso.
Rhaid i chi wneud llawer o dasgau, er enghraifft:

- croesawu ymwelwyr;
- helpu ymwelwyr, e.e ateb cwestiynau;
  rhoi cyfarwyddiadau, trefnu llety;
- gwerthu cofroddion neu *souvenirs*.

Bydd y gwaith yma'n ddefnyddiol i chi mewn swyddi fel:

- gweithio gyda thwristiaid;
- gweithio mewn siop;
- gweithio mewn gwesty ac ati.

croesawu	to welcome
ymwelwyr	visitors
twristiaid	tourists
cyfarwyddiadau	instructions
trefnu	to arrange, to organize
llety	accommodation

CROESAWU YMWELWYR

swyddog	*official*	poblogaidd	*popular*
taith, teithiau	*trip, trips*	ymwelydd, ymwelwyr	*visitor, visitors*
lle, lleoedd	*place, places*		

HELP */**

Bore da.	*Good morning.*
Prynhawn da.	*Good afternoon.*
Sut dych chi?	*How are you?*
Sut hwyl?	*How are things?*
Mae'n braf heddiw.	*It's fine today.*
Mae'n oer (iawn) heddiw.	*It's (very) cold today.*
Ydy.	*Yes (it is).*
O ble dych chi'n dod?	*Where do you come from?*
Dych chi'n cael amser da?	*Are you having a good time?*
Ga i'ch helpu chi?	*May I help you?*
Cewch. / Diolch.	*Yes. / Thank you.*
Sut ga i'ch helpu chi?	*How may I help you?*

Dych chi'n lwcus gyda'r tywydd.	*You're lucky with the weather.*
Trueni am y tywydd.	*(It's a) pity about the weather.*
Ie, wir.	*Yes indeed.*
Dych chi'n dod ... ?	*Do you come ... ?*
... o'r gogledd	*... from the north*
... o'r de	*... from the south*
... o Fangor	*... from Bangor*
... o Bontypridd	*... from Pontypridd*
Dych chi'n cael amser da?	*Are you having a good time?*
Ydyn, diolch.	*Yes, thank you.*
Ga i'ch helpu chi mewn unrhyw ffordd?	*May I help you in some way?*

HELP ***

Mae llawer o bobl yn cael gwyliau yng Nghymru bob blwyddyn.
Mae rhai o'r bobl yma'n byw yng Nghymru.
Mae'n dda siarad Cymraeg â'r bobl yma.

- Gwyliwch y fideo.
  Mae'r fideo'n dangos lluniau o Gymru.
  Hefyd, mae'n dangos pobl yn mwynhau eu gwyliau
  yng Nghymru.

Pam mae pobl yn dod i Gymru ar eu gwyliau ac ar deithiau dydd?
- Edrychwch ar y darn cyntaf ar y fideo i gael yr atebion.
- Gwnewch nodiadau.
- Siaradwch am hyn mewn grŵp.

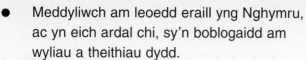

SESIWN SYNIADAU
Gwrandewch ar syniadau pobl eraill yn y dosbarth

- Meddyliwch am leoedd eraill yng Nghymru,
  ac yn eich ardal chi, sy'n boblogaidd am
  wyliau a theithiau dydd.
  Beth sy yno?
  Pam mae ymwelwyr yn mynd yno,
  dych chi'n meddwl?**/***
- Siaradwch am hyn mewn grŵp
  a gwnewch nodiadau.

SESIWN SYNIADAU
Gwrandewch ar syniadau pobl eraill yn y dosbarth

- Gwyliwch y fideo - lle mae'r Swyddog yn croesawu'r ymwelwyr. Beth mae hi'n ddweud?
- Ysgrifennwch beth mae hi'n ddweud yn eich llyfrau.

SESIWN SYNIADAU
Gwrandewch ar syniadau pobl eraill yn y dosbarth

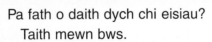 **Trefnu taith** */**/***

Ar y fideo, mae'r Swyddog yn y Ganolfan Croeso'n helpu'r ymwelwyr. Mae hi'n trefnu taith arbennig.

- Gwyliwch y fideo unwaith eto i gael gwybodaeth am y daith.
- Llenwch y ffurflen ar **Daflen 1** gyda gwybodaeth am y daith.

TAFLEN 1

 Chwarae rôl */**/***

Pa fath o daith dych chi eisiau?	*What kind of trip do you want?*
Taith mewn bws.	*A bus trip.*
Taith ar y trên.	*A train journey.*
Taith mewn cwch.	*A boat trip.*
I ble dych chi eisiau mynd?	*Where do you want to go?*
I lan y môr.	*To the seaside.*
Pryd dych chi eisiau mynd?	*When do you want to go?*
Yfory.	*Tomorrow.*
Dydd Sadwrn.	*Saturday.*
Faint o bobl?	*How many people?*
Pedwar.	*Four.*

Pa fath o daith hoffech chi?	*What kind of trip would you like?*
Hoffwn i fynd o gwmpas y bae mewn cwch.	*I'd like to go on a boat trip around the bay.*
I ble hoffech chi fynd?	*Where would you like to go?*
(Hoffwn i fynd) i weld i dolffiniaid.	*(I'd like to go) to see the dolphins.*
Pryd hoffech chi fynd?	*When would you like to go?*
Pryd bynnag mae'r daith nesaf.	*Whenever the next trip (leaves).*
Faint o bobl fydd yn mynd?	*How many people will be going?*
Pedwar - dau oedolyn a dau blentyn.	*Four - two adults and two children.*

- Defnyddiwch eich nodiadau - a'r eitemau iaith yn y bocsys - i chwarae rôl gyda'ch partner.

  Partner 1: Dych chi'n mynd i mewn i Ganolfan Croeso.
  Dych chi eisiau mynd ar daith.
  Siaradwch â'r Swyddog (eich partner chi).

  Partner 2: Dych chi'n gweithio mewn Canolfan Croeso.
  Croesawch eich partner chi.
  Trïwch helpu eich partner chi.

- Gwnewch hyn ddwywaith. Rhaid i chi fod yn Swyddog yn y Ganolfan Croeso unwaith. Rhaid i chi fod yn ymwelydd unwaith.

"Croeso!"

HELPU YMWELWYR

rhoi	*to give*
dilyn	*to follow*
cyfarwyddiadau	*directions*
cyrraedd	*to arrive at/to reach*

Sut mae cyrraedd ...?*/**/***

Craig-y-don

Trowch i'r chwith.	*Turn left.*
Trowch i'r dde.	*Turn right.*
Ewch yn syth ymlaen.	*Go straight on.*
Ewch i lawr y stryd.	*Go down the street.*
Ewch i fyny'r ffordd.	*Go up the road.*
Croeswch y bont.	*Cross the bridge.*
Arhoswch.	*Stop./Wait.*
Dych chi yno.	*You're there.*

HELP
*

Ewch ar hyd y ffordd.	*Go along the road.*
Ewch ar draws y sgwâr.	*Go across the square.*
Ewch heibio i'r neuadd.	*Go past the hall.*
Mae'r eglwys yn ymyl y parc.	*The church is by the park.*
Mae'r pwll nofio drws nesa i'r ysgol.	*The swimming pool is next to the school.*

HELP
**

Ewch ar draws y gyffordd.	*Go across the junction.*
Ewch o gwmpas y cylchfan.	*Go around the roundabout.*
Mae'r orsaf o'ch blaen chi.	*The station is in front of you.*
o flaen y ...	*in front of the ...*
tu ôl i'r ...	*behind the ...*
gyferbyn â'r ...	*opposite the ...*

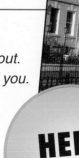

HELP
***

RHOI CYFARWYDDIADAU

TAFLEN 1

Ar y fideo, mae'r Swyddog yn y Ganolfan Croeso'n dweud wrth yr ymwelwyr sut mae cyrraedd yr orsaf.

● Dangoswch y daith ar y map, **Taflen 1**.

● Gwrandewch ar **Ddarn 1** ar y casét.
Mae ymwelwyr yn gofyn i Swyddog arall yn y Ganolfan Croeso sut mae mynd i leoedd arbennig.
Mae'r Swyddog yn helpu'r ymwelwyr.
Mae hi'n rhoi cyfarwyddiadau iddyn nhw.

TAFLEN 2

● Dangoswch y ffordd ar y map, **Taflen 2**.

 **Chwarae rôl** */**

● Defnyddiwch fap o'ch ardal chi.
Partner 1: Dych chi'n mynd i mewn i Ganolfan Croeso. Gofynnwch i'r Swyddog (eich partner chi) sut mae cyrraedd rhywle arbennig.
Partner 2: Chi ydy'r Swyddog. Helpwch eich partner chi. Defnyddiwch y map i'ch helpu chi.

● Gwnewch hyn ddwywaith. Rhaid i chi fod yn Swyddog yn y Ganolfan Croeso unwaith a rhaid i chi fod yn ymwelydd unwaith.

HELPU YMWELWYR ..

Gweithio mewn Canolfan Croeso */**/***

Ar y fideo, dych chi wedi gweld Swyddog mewn Canolfan Croeso yn gwneud y gwaith yma:

1. croesawu;
2. helpu i drefnu trip;
3. rhoi cyfarwyddiadau i ymwelwyr.

Beth arall mae Swyddog mewn Canolfan Croeso'n wneud tybed?

- Siaradwch am hyn mewn grŵp ac ysgrifennwch eich syniadau yn eich llyfrau. Meddyliwch am bethau fel:
  - rhoi gwybodaeth - pa fath?
  - trefnu pethau - beth?
  - bwcio pethau - beth?
  - gwerthu pethau - beth?

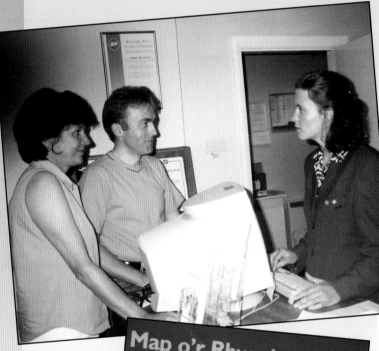

SESIWN SYNIADAU
Gwrandewch ar syniadau pobl eraill yn y dosbarth

- Gwyliwch y darn nesaf ar y fideo i weld ydy'ch syniadau chi yno.

..TREFNU LLETY

trefnu	*to arrange / to organise*	swyddog lbe	*accommodation officer*
llety	*accommodation*	anghenion arbennig	*special requirements*
ffurflen llety	*accommodation form*	gwely a brecwast	*bed and breakfast*

Ble dych chi eisiau aros?

mewn gwesty	*in a hotel*	ar faes carafanau	*on a caravan site*
mewn ffermdy	*in a farmhouse*	ar faes pebyll	*on a camp site*
mewn carafán	*in a caravan*	ger y traeth	*near the beach*
mewn pabell	*in a tent*	yn agos i'r dref	*near the town*
mewn tŷ preifat	*in a private house*	tu allan i'r dref	*outside the town*
mewn hostel	*in a hostel*	ar y prom	*on the prom*

Dych chi eisiau gwely a brecwast?	Do you want bed and breakfast?
Ydw, os gwelwch yn dda.	Yes (I do), please.
Ydyn, os gwelwch yn dda.	Yes (we do), please.
Dim diolch.	No thank you.
Ydyn. / Nac ydyn.	Yes, we do. / No, we don't.
Dyn ni eisiau lle i aros	We want somewhere to stay
... lle i ddau	... a place for two
... ystafell i dri	... a room for three (people)
Dw i eisiau cinio nos.	I want an evening meal.

Pa fath o lety dych chi eisiau?	What sort of accommodation do you want?
Dyn ni eisiau ystafell ddwbl.	We want a double room.
Oes gennych chi anghenion arbennig?	Do you have any special requirements?
bwyd llysieuol	vegetarian food
dim ysmygu	no smoking

Gwesty ar y promenâd ... yn edrych dros y môr.

Faint dych chi eisiau dalu?	*How much do you want to pay?*
Does dim ots!	*It doesn't matter!*
Dim llawer.	*Not much.*
Dim mwy na £20 punt y nos.	*No more than £20 a night.*

Sawl noson dych chi eisiau aros?	*How many nights do you want to stay?*
un noson *one night*	penwythnos *a weekend*
dwy noson *two nights*	un wythnos *one week*
tair noson *three nights*	pythefnos *a fortnight*
pedair noson *four nights*	

Dych chi angen rhywbeth arbennig?	*Do you have any special requirements?*
system intercom i wrando ar y babi	*baby listening intercom system*
clwb i'r plant	*children's club*
mynediad ar gyfer cadeiriau olwyn	*wheelchair access*

Gwesty Crand.
Ystafelloedd sengl.
Ystafelloedd dwbl.
Ystafelloedd teulu.
Gwely a Brecwast.
Cinio nos.

Trefnu llety */**/***

- Gwyliwch y fideo.
- Mae'r Swyddog yn trefnu llety i bobl ar eu gwyliau.
- Llenwch y ffurflen llety, **Taflen 3**.

TAFLEN 3

- Ffoniwch y gwesty (eich partner chi) i drefnu'r llety ar gyfer yr ymwelwyr ar y fideo.
- Cofiwch ddweud:
  - pwy
  - cyfeiriad
  - beth maen nhw eisiau
  - sawl noson
  - anghenion arbennig

TAFLEN 4

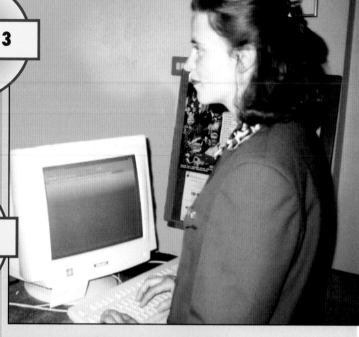

Y llety gorau */**/***

- Ar y bas data yn y Ganolfan Croeso, mae gennych chi wybodaeth am wahanol westai a gwahanol fathau o lety yn yr ardal.
  Darllenwch y wybodaeth.

y pen	*per person*	ar gael	*available*
gerddi	*gardens*	llysieuol	*vegetarian*

GWESTY PENRALLT

ffôn: 01043 810827

Gwesty braf tu allan i'r dref.

Ystafelloedd sengl, dwbl ac ystafelloedd teulu. Teledu a radio yn yr ystafell.

Pwll nofio tu allan.

Gerddi hyfryd.

 16 ⬚ 16

Gwely a brecwast £40 y pen.

Cinio nos ar gael hefyd, os oes eisiau. Rhaid gofyn. Cinio canol dydd, neu frechdanau ar gael ond rhaid gofyn.

GWESTY'R CASTELL

ffôn: 01043 563879

Gwesty bach ynghanol y dre. Yn agos i'r siopau a'r theatr.

Ystafelloedd dwbl, sengl ac ystafelloedd teulu. Croeso i blant.

Dim maes parcio ond mae'n bosib parcio ar y stryd.

⬚ 10 ⬚ 5

Gwely a brecwast £35 y pen.

Cinio nos £10.00 - bwyd llysieuol ar gael - rhaid gofyn.

AROSFA

ffôn: 01043 672229

Tŷ braf yng nghanol y dref. Bwyd da.

Ystafelloedd dwbl i gyd. Digon o le yn yr ystafelloedd gwely.

Maes parcio tu ôl i'r tŷ.

Mynediad i'r anabl.

⬚ 6 ⬚ 4

Gwely a brecwast £30 y pen. Dim cinio nos.

ar gyrion	*on the outskirts of*	dymunol	*pleasant*
tir	*land*	addas	*suitable*
o flaen llaw	*before hand*		

GWESTY'R LLEW ffôn: 01043 810227

Gwesty braf ar gyrion y dref - llawer o dir a digon o le i fynd am dro. Un filltir o'r traeth.

Ystafelloedd sengl, dwbl ac ystafelloedd teulu.

Teledu a radio, tegell a llestri ar gyfer gwneud te a choffi ym mhob ystafell.

Pwll nofio awyr agored, cwrt tenis, a lawnt bowlio. Adloniant ar y penwythnos. Chwaraeon bob prynhawn ar gyfer plant.

🪑 16 🚪 16

Gwely a brecwast £40 y pen. Cinio nos ar gael, o £10.00, ond rhaid gofyn o flaen llaw.

Mae'n bosibl gofyn am ginio canol dydd, neu frechdanau hefyd.

GWESTY'R DDRAIG ffôn: 01043 563882

Gwesty bach dymunol yng nghanol y dre. Yn agos i'r siopau a'r theatr a ddim yn bell o'r clybiau nos.

Pob ystafell wely i fyny'r grisiau - lifft ar gael.

Dim maes parcio ond mae'n bosib parcio ar y stryd.

🪑 10 🚪 5 Ar agor 3 - 10.

Gwely a brecwast £35 y pen. Cinio nos £10.00 - bwyd llysieuol ar gael - rhaid gofyn.

GWALIA ffôn: 01043 672299

Tŷ preifat braf yn y dref. Bwyd da. Ystafelloedd dwbl i gyd ond ystafelloedd mawr iawn.

Un ystafell wely ar y llawr gwaelod.

Maes parcio tu ôl i'r tŷ. Croeso i blant.

🪑 6 🚪 4 Ar agor 3 - 10.

Gwely a brecwast £30 y pen. Dim cinio nos.

▼

▶

- Dych chi wedi derbyn ffacs.
- Darllenwch y ffacs.

*

NEGES FFACS

Oddi wrth: J Lloyd
Rhif ffôn: 01446 732722
Rhif ffacs: 01446 836228
Dyddiad: 18 Mehefin

I: Y Ganolfan Croeso
Rhif ffôn: 01859 467031
Rhif ffacs: 01859 467732
Nifer y tudalennau: 1

Rydw i eisiau aros yn yr ardal. Rydw i eisiau lle tawel. Rydw i eisiau gwely a brecwast i ddau - i fi a fy ngwraig. Ddim yn rhy ddrud. Mae fy ngwraig i'n anabl.

Diolch,
J Lloyd.

/*

NEGES FFACS

Oddi wrth: J Lloyd
Rhif ffôn: 01446 732722
Rhif ffacs: 01446 836228
Dyddiad: 18 Mehefin

I: Y Ganolfan Croeso
Rhif ffôn: 01859 467031
Rhif ffacs: 01859 467732
Nifer y tudalennau: 1

Mae fy ngwraig a fi'n bwriadu dod i aros yn yr ardal am benwythnos hir, Mehefin 23 - 26, ac felly rydw i'n anfon ffacs i ofyn i chi drefnu lle i ni aros os gwelwch yn dda. Rydyn ni eisiau gwely a brecwast mewn gwesty neu mewn tŷ preifat, mewn lle tawel, sy ddim yn rhy ddrud. Basen ni'n hoffi cael cinio nos yno hefyd - dydyn ni ddim eisiau mynd allan i chwilio am fwyd bob nos. Mae'r ddau ohonon ni'n llysieuwyr ac mae fy ngwraig i'n anabl, felly rhaid cael mynediad i gadeiriau olwyn.

Diolch,
J Lloyd.

addas	*suitable*	anaddas	*unsuitable*

- Gwnewch grid yn dangos pam mae'r lleoedd ar y bas data'n addas neu'n anaddas ar gyfer Mr a Mrs Lloyd.

Enw'r llety	Pam mae'n addas (✓)	Pam mae'n anaddas (✗)
Gwesty Penrallt	1. Mae cinio nos ar gael. 2. Mae ...	1. Mae'r gwesty'n rhy ddrud. 2. Does dim ...

- Dewiswch y llety gorau ar gyfer Mr a Mrs Lloyd.

Y llety gorau i Mr a Mrs Lloyd ydy .... achos **/***
....

SESIWN SYNIADAU
Gwrandewch ar syniadau pobl eraill yn y dosbarth

22

- Ysgrifennwch neges ffacs at Mr Lloyd.
- Dwedwch enw'r llety dych chi wedi ddewis.
- Dwedwch rywbeth am y llety.
- Dwedwch PAM dych chi wedi dewis y llety yna.**/***

Edrych ar lety */**/***

beudy	*cowshed*

Weithiau mae'r Swyddog mewn Canolfan Croeso yn mynd allan i edrych ar wahanol fathau o lety er mwyn cael gwybodaeth. Pan mae'n mynd, rhaid gwneud nodiadau am y llety. Yna, mae'n rhoi'r wybodaeth ar fas data.
- Gwyliwch y fideo.
- Gwnewch nodiadau am y lleoedd sy ar y fideo.

LLETY 1
Math o lety:
Disgrifiad:

LLETY 2
Math o lety:
Disgrifiad:

LLETY 3
Math o lety:
Disgrifiad:

LLETY 4
Math o lety:
Disgrifiad:

Chwarae rôl */**/***

Partner 1: Dych chi'n ymwelydd a dych chi'n mynd i'r Ganolfan Croeso i chwilio am lety.

Partner 2: Dych chi'n gweithio mewn Canolfan Croeso. Ceisiwch berswadio'ch partner i aros yn un o'r lleoedd sy ar y fideo.

- Gwnewch hyn ddwywaith.
  Rhaid i chi fod yn Swyddog yn y Ganolfan Croeso unwaith.
  Rhaid i chi fod yn ymwelydd unwaith.

TAFLENNI 6A - 6D

GWERTHU COFRODDION

cofroddion	*souvenirs*	llyfr taith	*travel book*
map	*map*	cylch allweddi	*key ring*
llun	*picture*	y ddraig goch	*the red dragon*
cerdyn post	*postcard*	lliain sychu llestri	*tea towel*
cas pensiliau	*pencil case*	bathodyn	*badge*
crys T	*T shirt*	dyddiadur	*diary*

HELP */**

Ga i'ch helpu chi?	*May I help you?*
Ga i fap os gwelwch yn dda?	*May I have a map please?*
Dw i eisiau map.	*I want a map.*
Oes gennych chi gardiau post?	*Have you got (any) postcards?*
Oes cardiau post gyda chi?	*Have you got (any) postcards?*
Oes. / Nac oes.	*Yes. / No.*
Faint ydy'r map?	*How much is the map?*
Faint ydy hwnna?	*How much is that?*

deg ceiniog 10p	punt £1
pum deg ceiniog 50p	dwy bunt £2
	tair punt £3
	pedair punt £4
	pum punt £5
	chwe phunt £6

Dyma'r newid. *Here's the change.*

HELP **/***

Pa liw?	*Which colour?*
Pa fath?	*What kind?*
Pa faint?	*What size?*
Pa un?	*Which one?*
Pa liw hoffech chi gael?	*What colour would you like?*

Hoffwn i gael un coch.	*I would like a red one.*
Mae'n ddrwg gen i, does gen i ddim un coch ar ôl.	*Sorry, I haven't got a red one left.*
Mae'n flin gyda fi, does dim ar ôl.	*Sorry, there aren't any left.*
Dych chi eisiau rhywbeth arall yn lle?	*Do you want something else instead?*
Hoffech chi gael rhywbeth arall yn lle?	*Would you like something else instead?*
Faint mae bathodyn yn gostio?	*How much does a badge cost?*
Beth ydy pris crys T?	*What's the price of a T shirt?*
Punt yr un.	* £1 each.*
Pedair punt yr un.	* £4 each.*
Dyma ddeg ceiniog o newid.	*Here's 10p change.*
Mwynhewch eich gwyliau!	*Enjoy your holiday!*

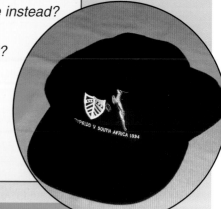

Gwerthu cofroddion */**/***

- Gwrandewch ar **Ddarn 3** ar y casét.
  Mae ymwelydd yn prynu cofroddion mewn siop mewn Canolfan Croeso.
  Rhaid i'r Swyddog wneud nodyn o bopeth mae'n werthu a'r pris.
- Ysgrifennwch enw'r peth a'r pris yn eich llyfrau.
- Ysgrifennwch y cyfanswm ar y gwaelod. Faint o newid mae'r cwsmer yn gael?
  (Rhaid i chi weithio hyn allan!)

Y GANOLFAN CROESO	
EITEM	**PRIS**

Chwarae rôl */**/***

Partner 1: Dych chi'n ymweld â'r Ganolfan Croeso a dych chi eisiau prynu rhywbeth.
Partner 2: Chi ydy'r Swyddog yn y Ganolfan Croeso. Helpwch eich partner.

- Gwnewch hyn ddwywaith. Rhaid i chi fod yn Swyddog
  yn y Ganolfan Croeso unwaith. Rhaid i chi fod yn ymwelydd unwaith.
- Beth am recordio'r sgwrs ar gasét neu fideo?

TAFLENNI 7A a 7B

Yn yr aseiniad yma:

Dw i wedi siarad mewn grŵp.

Dw i wedi siarad â phartner.

Dw i wedi ysgrifennu neges ffacs.

Dw i wedi llenwi ffurflen.

Dw i wedi darllen gwybodaeth.

Dw i wedi rhoi cyfarwyddiadau.

Dw i wedi dilyn map.

Dw i wedi trefnu llety.

Dw i wedi croesawu ymwelwyr.

Dw i wedi prynu a gwerthu pethau.

Aseiniad 2

Rydych chi'n gweithio i gwmni bysiau.

- Rhaid i chi drefnu taith.
- Rhaid i chi hysbysebu'r daith.
- Rhaid i chi ysgrifennu am y daith.

Bydd y gwaith yma'n ddefnyddiol i chi mewn swyddi fel:

- gweithio i gwmni bysiau;
- gweithio mewn Canolfan Croeso;
- gweithio mewn gwesty;
- gweithio gyda phlant neu grwpiau arbennig o bobl;
- gweithio mewn siop gwyliau.

trefnu	to organise
hysbysebu	to advertise
taith, teithiau	trip, -s, journey, -s
hamdden	leisure
twristiaeth	tourism

Y CWMNI BYSIAU

Gweithio i gwmni bysiau */**/***

Rydych chi'n gweithio i gwmni bysiau.
Mae'r cwmni bysiau yma ar y fideo.

● Gwyliwch y fideo.
  Beth rydych chi'n ddysgu am y cwmni?
  I ble mae teithiau'r cwmni'n mynd?
  Beth ydy barn y staff am y lleoedd yma?**/***
● Gwnewch nodiadau yn eich llyfrau.

SESIWN SYNIADAU
Gwrandewch ar syniadau pobl eraill yn y dosbarth

Taith arall */**/***

Mae cwmnïau bysiau'n trefnu llawer o deithiau.
● Gwrandewch ar **Ddarn 1** ar y casét i weld i
  ble mae taith arall yn mynd.
● Gorffennwch y poster sy ar **Daflen 1**.
  (i) Llenwch y bylchau ar y poster.
  (ii) Marciwch y daith ar y map.

TAFLEN 1

EICH TAITH CHI

Ble?

HELP

*

Beth am fynd i ...?		How about going to ... ?	
Iawn.	O.K.	O na!	Oh no!
Mae'n agos.	It's near.	Mae'n bell.	It's far.
Mae'n rhad.	It's cheap.	Mae'n ddrud.	It's expensive.
Mae'n ddiddorol.	It's interesting.	Mae'n ddiflas.	It's boring.

Syniad da, achos ... — *Good idea, because ...*
- ... mae'n ddigon agos. — ... it's near enough.
- ... mae'n eitha rhad. — ... it's quite cheap.
- ... mae'n arbennig o ddiddorol, achos ... — ... it's particularly interesting because ...
- ... mae llawer o bethau i wneud, sef ... — ... there are lots of things to do, namely ...
- ... mae caffi da iawn yno sy'n gwerthu ... — ... there's a very good café there that sells ...

Na, dw i ddim yn meddwl, achos ... — *No, I don't think so, because ...*
- ... mae'n rhy bell. — ... it's too far.
- ... mae'n rhy ddrud. — ... it's too expensive.
- ... does dim byd i wneud yno. — ... there's nothing to do there.
- ... does dim caffi. — ... there's no cafe (there).

HELP

/*

HELP

*****

HELP

/*

Pryd byddwn ni'n mynd?	*When will we be going?*
Beth am ... ?	*What about ... ?*
... ddydd Sadwrn nesa	*... next Saturday*
... yr wythnos nesa	*... next week*
... Mai 15	*... May 15*

Pryd bydd y daith?	*When will the trip be?*
Yn ystod y gwyliau.	*During the holidays.*
Ar ôl y Pasg.	*After Easter.*
Dros ŵyl y banc.	*Over the bank holiday.*

Eich taith chi */**/***

Nawr, rhaid i CHI drefnu taith.

Fel y bobl ar y fideo, rhaid i chi siarad am:

- ble i fynd
- pam rydych chi'n mynd yno**/***
- pryd i fynd

- Siaradwch am hyn mewn grŵp.
- Ysgrifennwch eich syniadau yn eich llyfrau.

Taith i	
Dyddiad	

Cyn mynd ar y daith, mae llawer o waith i'w wneud, e.e.

- chwilio am wybodaeth;
- hysbysebu;
- paratoi ar gyfer y daith.

Creaduriaid Di-Asgwrn-Cefn

O blith yr amrywiaeth anferthol o anifeiliaid sydd i'w canfod yng nghefnforoedd y byd, nid oes gan oddeutu 95% ohonynt asgwrn cefn ac fe'i gelwir yn infertebrata. Mae'r rhan fwyaf, megis anemonïau môr, cwrel meddal ac ysbyngau yn dibynnu ar gerrynt y dwr i ddod â gronynnau bach o fwyd o fewn cyrraedd. Dyna pam bod yr amrywiaeth mwyaf o greaduriaid di-asgwrn-cefn i'w gweld fel arfer lle mae'r llanw ar ei gryfaf a gwely'r môr ar ei fwyaf caregog, i gyd yn ymladd am le.

Yn eu tro, mae'r creaduriaid di-asgwrn cefn hyn yn cael eu bwyta gan rai eraill megis sêr môr, crancod a chimychiaid. Mae'r Wil Wyllt bychan yn gorchuddio ei hun ag ysbyngau fel cuddliw a fydd yn ei amddiffyn rhag cael ei fwyta.

O fewn y craciau a'r agennau mae creaduriaid di-asgwrn-cefn mwy yn cuddio megis y Crancod Glas a'r Octopysau Bach, sy'n mentro allan gefn nos i chwilio am fwyd ar wely'r môr. Mae yna hyd yn oed sôn am octopysau yn dringo i gewyll cimychiaid i fwyta'r creaduriaid sydd wedi'u dal o'u mewn!

Y MEUDWY GRANC

Anemoni.
Anemone.

Perlau o Bob Math

Bydd sawl rhywogaeth o bysgod cregyn yn tyfu perlau, gan gynnwys cregyn gleision a chregyn bylchog, ond rhai wystrys yn unig sy'n cynhyrchu'r gemau sydd mor werthfawr.

Mae'r wystrys sydd fel arfer yn cael eu bwyta ym Mhrydain, Wystrys y Môr Tawel (*Crassostrea gigas*) a'r Wystrys Ewropeaidd Cyffredin (*Ostrea edulis*), o bryd i'w gilydd yn cynhyrchu perl gwyn, ond fel arfer mae'n cael ei lyncu'n ddiarwybod i'r sawl sy'n bwyta'r wystrysen.

Y prif rywogaethau ar gyfer cynhyrchu perlau yw'r Wystrys Japaneaidd (*Pinctada martensi*) a'r Wystrys Gwefusddu (*Pinctada margaritefera*). Mae perlau dwr ffres o'r wystrysen Hyviupsis schlegeli yn cael eu tyfu yn Japan, Tsieina a Chorea ond mae'r rhain

bob amser yn llai ac nid oes iddynt yr un gloywder â'r rhywogaethau eraill.

Yn rhyfedd iawn gall yr un rhywogaeth gynhyrchu perlau o wahanol liw. Mae Wystrys Japaneaidd yn cynhyrchu perlau aur, hufen, gwyn, arian, glas a lliw rhosyn, a'r Wystrys Gwefusddu o'r Môr Tawel yn cynhyrchu lliwiau llwyd, gwyrdd, du a lliwiau 'paen'.

Ni ddeellir yn llawn y rheswm am hyn, ond fel arfer fe'i priodolir i gydbwysedd bregus yr halwynau mwynol yn yr ardal dyfu sy'n amrywio o fae i fae.

18

TEITHIAU'R CWMNI

gwybodaeth	*information*	manylion	*details*
oriau agor	*opening hours*	taflen	*leaflet*
prisiau mynediad	*admission prices*	cyn gynted â phosib	*as soon as possible*
oedolion	*adults*	tocyn teulu	*family ticket*

HELP
*/**

Gofyn am wybodaeth

Pryd mae'r sŵ'n agor?	*When does the zoo open?*
Am naw o'r gloch.	*At nine o'clock.*
Am ddeg.	*At ten.*
Pryd mae'r sŵ'n cau?	*When does the zoo close?*
Am hanner awr wedi pump.	*At half past five.*
Beth ydy'r oriau agor?	*What are the opening hours?*
O naw tan bump.	*From nine to five.*
Faint mae'n gostio os gwelwch yn da?	*How much does it cost please?*
Punt.	*£1.*
Dwy bunt.	*£2.*
Pum deg ceiniog.	*50p.*
Oes caffi?	*Is there a café?*
Oes toiledau?	*Are there toilets?*

Dw i'n gweithio i ...	*I work for ...*
Dw i'n ffonio i ofyn ...	*I'm phoning to ask ...*
Ydy'r sŵ ar agor drwy'r flwyddyn?	*Is the zoo open all year?*
Beth am y gwyliau banc?	*What about bank holidays?*
Beth ydy'r prisiau mynediad?	*What are the admission prices?*
Oes gostyngiadau?	*Are there reductions?*
Allech chi ddweud wrtho i ... ?	*Could you tell me ... ?*
... oes cyfleusterau i'r anabl?	*... are there facilities for the disabled?*
... oes atyniadau eraill yn yr ardal?	*... are there other attractions in the area?*
Wnewch chi anfon manylion ata i os gwelwch yn dda?	*Will you send me details please?*

HELP
/*

Cael gwybodaeth */**/***

Ar y fideo, mae staff y cwmni bysiau yn trefnu llawer o deithiau.
Cyn trefnu rhaid iddyn nhw gael gwybodaeth am y lleoedd.

- Gwyliwch yr un darn ar y fideo eto i weld:
  Beth maen nhw eisiau wybod?
  Sut maen nhw'n mynd i gael gwybodaeth am y lleoedd?

- Siaradwch am hyn yn eich grŵp.
- Ysgrifennwch eich syniadau yn eich llyfrau.

SESIWN SYNIADAU

Gwrandewch ar syniadau pobl eraill yn y dosbarth

Ffonio */**/***

Mae Mari'n ffonio'r Sŵ Môr.
Mae hi eisiau gwybodaeth am:
- yr oriau agor;
- y pris mynediad;
- y caffi;
- y gostyngiadau.

Beth ydy'r manylion?
- Gwyliwch y fideo i gael y wybodaeth .
- Siaradwch am hyn mewn grŵp a llenwch grid fel yr un ar y tudalen nesaf.

34

SŴ MÔR MÔN

oriau agor	
pris mynediad a gostyngiadau	
caffi	

Trip Arbennig i Sŵ Môr Môn

Dydd Sadwrn Gorffennaf 21

Pris Oedolion £9.00 Pensiynwyr/Plant £8.00

Yn Gadael	Yn ôl
Pwllheli 9.00am	Pen-y-groes 5.40pm
Cricieth 9.15am	Porthmadog 6.00pm
Porthmadog 9.30am	Cricieth 6.15pm
Pen-y-groes 9.50am	Pwllheli 6.30pm

**Ffoniwch
01758 616678 (9.00am - 5.30pm)
Neu'n Llinell Gymorth 01758 616677**

Mae Mari'n gweithio allan
- faint o amser bydd y daith yn cymryd;
- faint fydd pris y bws.

Yna mae hi'n gwneud y poster.

Taith arall */**/***

Mae Emma hefyd yn ffonio i gael
gwybodaeth.
Mae hi'n ffonio Oakwood.
Yna, mae hi'n gwneud poster am y daith i
Oakwood.

DEWCH I OAKWOOD

**DEWCH AM DDIWRNOD DIDDOROL
DIGON I WNEUD
RHESYMOL IAWN**

Ydy'r poster yma'n un da?
Pam?**/***

● Siaradwch am hyn mewn grŵp.

SESIWN SYNIADAU

Gwrandewch ar syniadau pobl eraill yn y dosbarth

● Meddyliwch am bethau eraill i fynd ar y poster.
● Gwyliwch y fideo i gael syniadau.
● Gwnewch nodiadau yn eich llyfrau.
● Siaradwch am eich syniadau yn eich grŵp.

SESIWN SYNIADAU

Gwrandewch ar syniadau pobl eraill yn y dosbarth

● Gwnewch boster gwell yn cynnwys mwy o fanylion.

- Ar y fideo, gofynnodd Mr Jones i Mari ffeindio allan am Gastell Caldicot. Felly, mae hi'n ffonio'r Castell.
- Mae'r sgwrs ar **Ddarn 2** ar y casét.
- Gwrandewch ar y darn.

Anfon nodyn *

- Anfonwch nodyn at Mr Jones gyda'r manylion am y Castell.
- Llenwch y bylchau yn y nodyn ar **Daflen 2***.

TAFLEN 2*

Anfon memo **/***

- Gwnewch nodiadau o'r manylion am y Castell.
  Yna, ysgrifennwch Memo at Mr Jones yn rhoi'r manylion iddo fe,
  Taflen 2 **/* .

TAFLEN 2 /***

Ysgrifennu i ofyn am wybodaeth */**/***

I gael gwybodaeth mae'n bosib ffonio, neu mae'n bosib anfon llythyr neu neges ffacs neu neges e-bost.

Anfon neges ffacs neu neges e-bost */**/***

- Dyma neges e-bost oddi wrth Mari i barc thema yng Ngogledd Cymru. Mae trip arall yn mynd yno yn yr haf.
- Mae'n gofyn am wybodaeth am y parc thema.
- Darllenwch y neges e-bost.

*/**

Rydyn ni'n trefnu taith i'r parc thema ym mis Awst.

Felly, rydw i'n ysgrifennu i ofyn am wybodaeth am y lle:

Pryd mae'r parc thema'n agor yn y bore?
Pryd mae'r parc thema'n cau yn y nos?
Faint mae'n gostio i fynd i mewn?
Beth sy yn y parc?
Oes caffi?
Oes toiledau?

Yn gywir
Mari Roberts
(Trefnydd Teithiau)

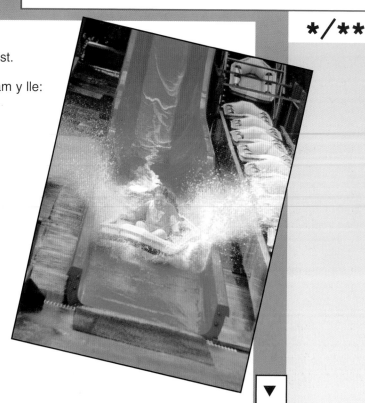

/*

Rydw i'n gweithio i gwmni Bysiau Pwllheli ac rydw i'r trefnu taith i'r parc thema ym mis Awst.

Felly, rydw i'n ysgrifennu i gael manylion am y parc thema a'r ardal:

Allech chi ddweud wrtha i beth ydy'ch oriau agor os gwelwch yn dda?
Beth ydy'r pris mynediad? Oes gostyngiadau i barti mawr fel ni?
Beth sy yn y parc?
Oes caffi yno? Os oes, beth ydy'r oriau agor a pha fath o fwyd sy ar y fwydlen?
Oes cyfleusterau i'r anabl?
Oes atyniadau eraill yn yr ardal?

Wnewch chi anfon taflen a manylion ata i cyn gynted â phosib os gwelwch yn dda?

Yn gywir
Mari Roberts
(Trefnydd Teithiau)

Beth mae Mari eisiau wybod?

● Siaradwch am hyn mewn grŵp.

● Gwnewch grid a thiciwch beth mae hi eisiau wybod.

Mae hi eisiau gwybod:	✔
ble mae'r parc	
beth maen nhw'n wneud yno	
pryd mae'r lle'n agor	
pryd mae'r lle'n cau	
oes bwyd	
faint mae'n gostio	
pwy sy'n gweithio yno	
arall - beth?	

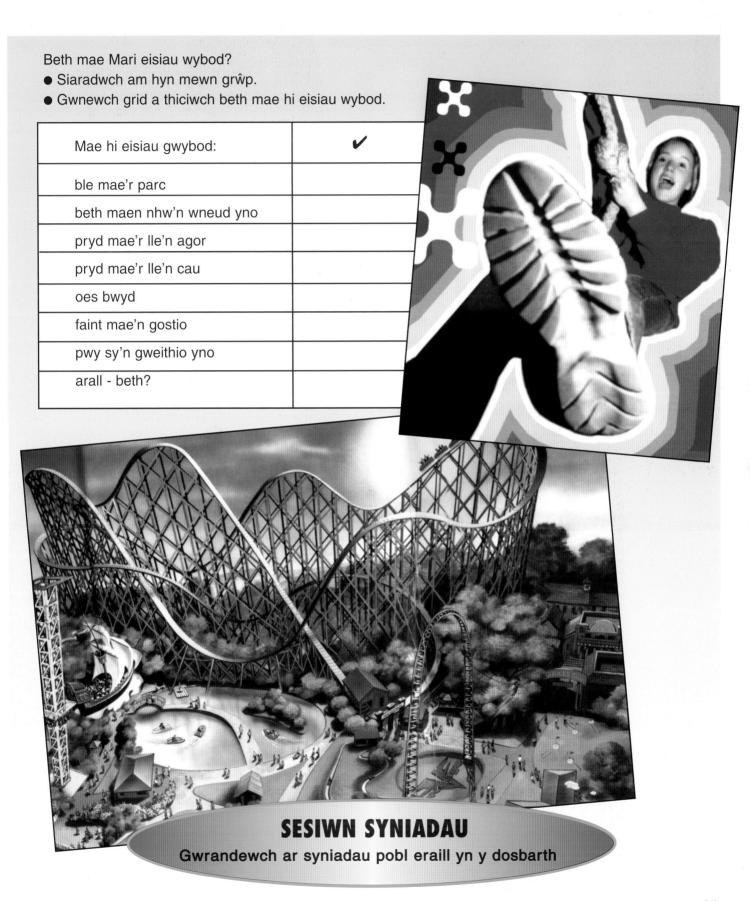

SESIWN SYNIADAU

Gwrandewch ar syniadau pobl eraill yn y dosbarth

EICH TAITH CHI ...

Eich taith chi */**/***

Rydych chi wedi trefnu ble a phryd i fynd ar eich taith chi. Nawr, rhaid i chi ffeindio allan:

- pryd mae'r lle'n agor a chau;
- faint mae'n gostio;
- beth sy yno;
- unrhyw wybodaeth arall.

I gael gwybodaeth, mae'n bosib ffonio, ysgrifennu llythyr, anfon neges ffacs neu neges e-bost.

Os ydych chi eisiau help:

- edrychwch eto ar y fideo i weld sut mae Mari ac Emma'n gofyn am wybodaeth; **neu**
- gwrandewch ar **Ddarn 2** ar y casét; neu
- darllenwch y neges e-bost oddi wrth Mari i'r parc thema.

Gofyn am wybodaeth */**/***

- Ysgrifennwch at y lle neu'r lleoedd ar eich taith chi i ofyn am wybodaeth.

Os ydych chi'n mynd i ysgrifennu llythyr, mae help i chi ar **Daflenni 3A* a 3B***.

TAFLENNI 3A* a 3B*

Ffonio */**/***

Os ydych chi'n mynd i ffonio'r lle:

● Beth am ymarfer y sgwrs gyda'ch partner chi cyn ffonio?

● Gofynnwch am:

  ● yr oriau agor;
  ● y prisiau mynediad;
  ● gwybodaeth arall rydych chi eisiau.

● Ysgrifennwch yr atebion yn eich llyfrau.

TAFLENNI 4A* a 4B*

Y peiriant ateb */**/***

Mae'r cwmni bysiau'n brysur yn trefnu'r daith i Gaerllion a Caldicot.
Mae nifer o bobl yn ffonio'r cwmni i ofyn am y daith yma.
Mae'r cwestiynau ar y peiriant ateb ffôn.

- Gwrandewch ar y negeseuon ar **Ddarn 4** ar y casét.
- Llenwch y ffurflen ateb ffôn, **Taflen 5**.

TAFLEN 5

Dyma memo am y daith yna:

MEMORANDWM

AT: Bob aelod o staff   DYDDIAD: 5 Mai
ODDI WRTH: John Jones
PWNC: Y daith i Gaerllion a Caldicot

Dyma'r manylion am y daith yma:

TAITH I GAERLLION
A CHASTELL CALDICOT

DYDD SADWRN, MEHEFIN 22

Cychwyn: 9.30
Dod yn ôl: 6.00

Cost: Oedolion - £5.00   Plant £3.00

Chwarae rôl */**/***

Partner 1: Rydych chi'n mynd i ffonio un o'r bobl sy wedi gadael neges ar y peiriant ateb ffôn (eich partner chi).

- Dwedwch pwy ydych chi a ble rydych chi'n gweithio.
- Dwedwch "Diolch am adael neges ar y peiriant ateb ffôn."
- Atebwch y cwestiwn sy ar y peiriant ateb ffôn.

Partner 2: Mae'ch partner chi'n mynd i ffonio gyda gwybodaeth am y daith i Gaerllion.

- Ysgrifennwch y manylion ar ddarn o bapur.
  Ydyn nhw'n gywir?
- Darllenwch y memo i wneud yn siwr.

- Gwnewch hyn ddwywaith.
- Rhaid i chi fod yn **Bartner 1** unwaith.
  Rhaid i chi fod yn **Bartner 2** unwaith.

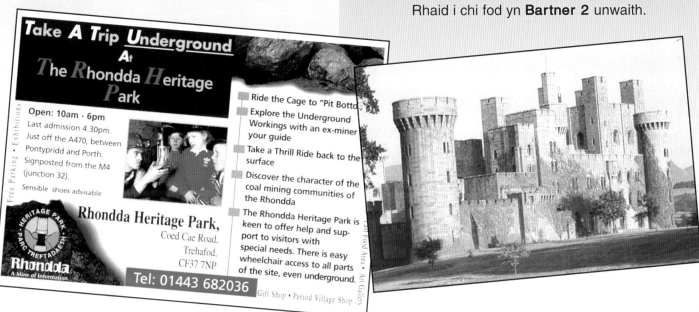

HYSBYSEBU'R DAITH

hysbysebu	*to advertise*	taflenni	*leaflets*
llyfrynnau	*booklets*	digon	*plenty*

Gwneud poster *

- Gwnewch boster i hysbysebu'ch taith chi.
- Cofiwch am y manylion pwysig.
- Beth am ddefnyddio'r cyfrifiadur?

Siarad ar y radio */**

Rydych chi'n mynd i siarad ar y radio am eich taith chi.

- Gweithiwch gyda'ch partner.
- Ysgrifennwch sgript ar gyfer y sgwrs radio.
- Meddyliwch am gwestiynau am y daith.
- Atebwch y cwestiynau.
- Recordiwch y sgwrs ar gasét.

Gwneud taflen neu gasét */**/***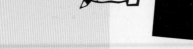

Rydych chi'n mynd i wneud taflen neu gasét am eich taith chi.
- Darllenwch daflenni gan gwmnïau bysiau eraill neu gan leoedd sy'n boblogaidd ar gyfer teithiau dydd.
  Beth sy yn y taflenni yma?
  Ydy'r taflenni'n rhoi llawer o wybodaeth?
- Ticiwch y grid ar **Daflen 6**.

TAFLEN 6

TAFLEN 7

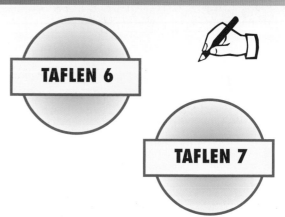

Nawr, rydych chi'n mynd i wneud taflen am eich taith chi.

Rhaid i chi roi llawer o wybodaeth yn y daflen.

Defnyddiwch y grid ar **Daflen 6** i'ch helpu chi, os ydych chi eisiau.

- Gweithiwch mewn grŵp.
- Edrychwch ar y wybodaeth sy gyda chi am y daith - yr oriau agor, y prisiau mynediad, beth sy yn y lle ac ati.
- Dilynwch y pwyntiau yn y grid.

Beth am wneud map neu lun?

Beth am ddefnyddio'r cyfrifiadur?

Gwneud casét */**/***

- Darllenwch eich taflen yn uchel.
- Recordiwch y gwaith ar gasét i'w chwarae ar y bws ar ddechrau'r daith.

i ffwrdd â chi   *off you go*

Mae'r trefniadau ar gyfer y daith yn barod.
I ffwrdd â chi!
Mwynhewch eich hun!

HELP *

Taith dda?

Es i i ...	*I went to ...*
Ces i ...	*I had ...*
Gwelais i ...	*I saw ...*
Aethon ni ...	*We went to ...*
Cawson ni ...	*We had ...*
Gwelon ni ...	*We saw ...*
Roedd hi'n braf.	*It was fine.*
Roedd hi'n wlyb.	*It was wet.*

Ar ôl dod yn ôl rhaid i chi ysgrifennu am y daith neu am y lle neu'r lleoedd ar y daith.

Llenwi holiadur *

TAFLEN 8*

- Llenwch yr holiadur ar **Daflen 8**.*

Ysgrifennu am y lle **/***

TAFLEN 8**/***

- Ysgrifennwch am y daith neu am y lle neu'r lleoedd ar y daith.
- Darllenwch **Daflen 8**/*** cyn dechrau i weld beth mae rhai myfyrwyr wedi ysgrifennu ar ôl mynd ar daith i Oakwood.

TEITHIAU ERAILL

Ar ôl eich taith chi, a'r teithiau i Sŵ Môr Môn, Oakwood a Caldicot a Chaerllion, rhaid i'r cwmni ddechrau meddwl am fwy o deithiau eto. Rhaid iddyn nhw fynd drwy'r un broses eto - penderfynu ble i fynd, cael gwybodaeth, trefnu, hysbysebu. Dydy'r gwaith ddim yn stopio!

Teithiau i'r opera */**/***

Mae aelod arall o staff yn y cwmni bysiau yn ffonio ar y ffôn mewnol.
Mae e'n gofyn i chi wneud poster yn hysbysebu rhai o deithiau newydd y cwmni - teithiau i'r opera i wrando ar Bryn Terfel yn canu.

- Gwrandewch ar **Ddarn 3** ar y casét.
- Ysgrifennwch y manylion am y teithiau ar **Daflen 9**.

TAFLEN 9

Teithiau eraill */**/***

Mae llawer o deithiau eraill hefyd.
- Gwyliwch ddiwedd y fideo i weld pa deithiau eraill mae'r cwmni'n trefnu.
- Gwnewch restr yn eich llyfrau.

TAFLENNI 10A a 10B

TAFLENNI 10C a 10Ch

SESIWN SYNIADAU
Gwrandewch ar syniadau pobl eraill yn y dosbarth.

TAFLEN 11

Yn yr aseiniad yma:

Rydw i wedi siarad mewn grŵp.

Rydw i wedi siarad â phartner.

Rydw i wedi trefnu taith.

Rydw i wedi ysgrifennu llythyr.

Rydw i wedi ysgrifennu nodyn.

Rydw i wedi gwneud poster.

Rydw i wedi ffonio.

Rydw i wedi defnyddio cyfrifiadur.

Rydw i wedi darllen taflenni Cymraeg.

Rydw i wedi ysgrifennu taflen.

Rydw i wedi gwneud tâp sain.

Rydw i wedi llenwi holiadur.

Rydw i wedi ysgrifennu adroddiad.

Rydw i wedi anfon neges e-bost.

Aseiniad 3

Dych chi'n mynd i drefnu digwyddiad, e.e.

- noson gyrfaoedd;
- noson i lansio llyfr newydd;
- ymgyrch arbennig.

Bydd y gwaith yma'n ddefnyddiol i chi mewn swyddi fel:

- gweithio i elusen (trefnu noson i godi arian, trefnu ymgyrch arbennig);
- gweithio mewn canolfan hamdden, llyfrgell, gwesty;
- gweithio gyda phobl ifanc;
- unrhyw swydd lle mae'n rhaid trefnu digwyddiad arbennig.

trefnu	to organise
digwyddiad	event
gyrfaoedd	careers
lansio	to launch
ymgyrch	campaign
elusen	charity

TREFNU DIGWYDDIAD

amgylchedd	*environment*	olew	*oil*
difetha	*to destroy*	twll yn y ddaear	*a hole in the ground*
sbwriel	*rubbish*	Adran Amgylchedd	*Environment Dept.*
gwastraffu	*to waste*	Cyngor	*Council*
ailgylchu	*to recycle*	trefnu	*to organise*

Ymgyrch arbennig */**/***

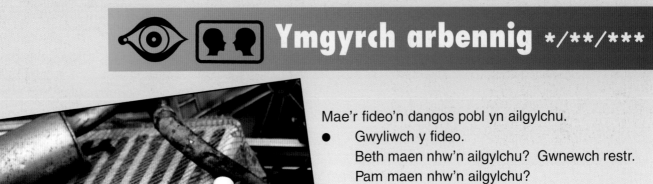

Mae'r fideo'n dangos pobl yn ailgylchu.

- Gwyliwch y fideo.
  Beth maen nhw'n ailgylchu? Gwnewch restr.
  Pam maen nhw'n ailgylchu?
  Beth dych chi'n ailgylchu yn eich cartref chi?
  Gwnewch restr.
  Sut dych chi'n ailgylchu?
  (Dych chi'n defnyddio bagiau lliw?
  Dych chi'n mynd i rywle arbennig?)

SESIWN SYNIADAU
Gwrandewch ar syniadau pobl eraill yn y dosbarth.

Eryri	*Snowdonia*	ym mhob man	*everywhere*
naturiol	*natural*	llwybrau	*paths*
tyfu	*to grow*	cael gwared â	*to get rid of*

Ar y fideo mae grŵp o bobl ifanc yn mynd i drefnu ymgyrch arbennig. Mae'r bobl yma'n gweithio i Adran Amgylchedd y Cyngor.

● Gwyliwch y fideo.
● Mewn grŵp, siaradwch am y cwestiynau yma.
   Pa fath o ymgyrch maen nhw'n drefnu?
   Pam mae angen yr ymgyrch yma?

Beth ydy hanes y rhododendron?
● Gwyliwch y fideo eto.
● Llenwch grid fel yr un yma: */**

Y rhododendron yn dod i Gymru	
Pryd?	tua .... mlynedd yn ôl
Pam?	roedd pobl gyfoethog eisiau ...
O ble?	o'r ...
Pam roedd y blodau'n hoffi Cymru?	achos roedd hi'n ...

● Ysgrifennwch am hanes y rhododendron yn eich llyfrau. **/***

SESIWN SYNIADAU

Gwrandewch ar syniadau pobl eraill yn y dosbarth

Cyn dechrau ar y gwaith, rhaid i'r bobl ifanc drefnu llawer o bethau.

● Gwyliwch y fideo i weld beth mae pawb yn wneud.

● Gwnewch grid fel yr un yma i ddangos beth mae pawb yn wneud.

PWY	BETH
Siôn	
Sarah	
Mari	
Eilir	
Olwen	

Beth dych chi'n ddysgu am yr ymgyrch?

● Ysgrifennwch nodiadau yn eich llyfrau.

SESIWN SYNIADAU

Gwrandewch ar syniadau pobl eraill yn y dosbarth.

👁 👥 Yr ymgyrch */**/***

● Gwyliwch y darn nesaf ar y fideo.

Mae'r bobl ifanc yn gweithio'n galed yn clirio'r rhododendrons.

Mae'r ymgyrch yn dda iawn.

(i)   Maen nhw'n clirio'r rhododendrons.

(ii) Maen nhw'n ailgylchu'r rhododendrons.

(iii) Maen nhw'n helpu'r amgylchedd.

Eich digwyddiad chi */**/***

Ond beth dych chi'n mynd i drefnu?

Digwyddiad? - Noson arbennig?

Diwrnod arbennig? Cyfarfod arbennig?

neu

Ymgyrch - fel yr ymgyrch clirio rhododendrons?

BETH? PRYD? BLE?

cynnal	*to hold*

Beth?

Beth am gynnal noson gyrfaoedd? — *What about holding a careers evening ?*

Beth am drefnu ymgyrch ailgylchu ? — *What about organising a recycling campaign?*

  Iawn. — *O.K.*

  Syniad da. — *Good idea.*

  Na, dw i ddim yn meddwl. — *No, I don't think so.*

Pryd?

Pryd bydd yr ymgyrch? — *When will the campaign be?*

  Dydd Sadwrn.   *Saturday.*   Yr wythnos nesa.   *Next week.*

  Nos Lun.   *Monday night.*   Y mis nesaf.   *Next month.*

Ble?

Ble bydd yr ymgyrch? — *Where will the campaign be?*

  Yn yr ysgol. — *In (the) school.*

  Yn y ganolfan hamdden. — *In the leisure centre.*

  Yn y dref. — *In (the) town.*

HELP
*

Beth?

Beth am drefnu arddangosfa? — *What about organising an exhibition ?*

Mae hwnna'n syniad da achos ... — *That's a good idea because ...*

  ... mae'n rhad. — *... it's cheap.*

  ... mae'n syml. — *... it's simple.*

  ... mae'n ddiddorol. — *... it's interesting.*

Dydy hwnna ddim yn syniad da achos ... — *That isn't a good idea because ...*

  ... mae'n ddrud. — *... it's expensive.*

  ... mae'n anodd. — *... it's difficult.*

  ... does neb eisiau mynd i arddangosfa. — *... no-one wants to go an exhibition.*

HELP
**

Pryd?

Rywbryd mis nesaf? — *Sometime next month?*

Beth am dros y penwythnos? — *What about over the weekend?*

Dych chi'n rhydd nos Wener? — *Are you free Friday night?*

Ble?

Mae neuadd yr ysgol yn fawr ac yn gyfforddus. — *The school hall is large and comfortable.*

Beth am lyfrgell y dref? — *What about the town library?*

- Mae llawer o bobl yn mynd yno. — *- Lots of people go there.*

Beth?

Gallen ni gynnal noson gyrfaoedd ...	*We could hold a careers evening ...*
Gallen ni gynnal ffair lyfrau ...	*We could hold a book fair ...*
Dw i'n meddwl dylen ni drefnu noson gyrfaoedd ...	*I think we ought to organise a careers evening ...*
Basai'n bosibl trefnu arddangosfa ...	*It would be possible to arrange an exhibition ...*

HELP
***

... achos ...

... mae'n ddiddorol.	*... it's interesting.*
... mae'n werth-chweil.	*... it's worthwhile.*
... mae pobl yn hoffi ...	*... people like ...*
... basai llawer o bobl yn dod ...	*... lots of people would come ...*

Beth? Pryd? Ble? */**/***

Beth dych chi'n mynd i drefnu?
Pryd?
Ble?

- Siaradwch am hyn mewn grŵp.
- Ysgrifennwch eich syniadau mewn grid fel yr un yma.

	Y digwyddiad / Yr ymgyrch	Pam**/***
Beth		
Pryd		
Ble		
Manylion eraill		

SESIWN SYNIADAU
Gwrandewch ar syniadau pobl eraill yn y dosbarth

TREFNU LLE

HELP

*

gofalwr	*caretaker*	ffi	*fee*
llogi	*to hire*		

Dw i eisiau llogi ystafell, os gwelwch yn dda.
... o saith o'r gloch tan hanner awr wedi wyth.
Oes rhaid i ni dalu?
Faint ydy'r ffi?

I want to book a room, please.
... from 7.00 until 8.30.
Do we have to pay?
How much is the fee?

HELP

/*

Hoffwn i logi ystafell, os gwelwch yn dda.
Hoffen ni logi ystafell, os gwelwch yn dda.

I would like to book a room, please.
We would like to book a room, please.

Digwyddiad arall */**/***

Ar y fideo, mae un grŵp o bobl ifanc yn trefnu ymgyrch clirio rhododendrons.
Ond mae grŵp arall yn trefnu digwyddiad arall - Noson Gyrfaoedd.
Fel chi, maen nhw'n trefnu:
- **pryd** bydd y Noson Gyrfaoedd.
- **ble** bydd y Noson Gyrfaoedd - y dyddiad a'r amser.

Yna, mae un o'r myfyrwyr yn ffonio Mr Evans, y gofalwr - i logi ystafell.

TAFLEN 1

- Gwrandewch ar **Ddarn 1** ar y casét.
  Rhaid i'r gofalwr ysgrifennu'r manylion ar ffurflen arbennig - ffurflen llogi.
  Helpwch y gofalwr i lenwi'r ffurflen.

Efallai bydd rhaid i chi logi ystafell ar gyfer eich digwyddiad chi.
Cyn ffonio, beth am ymarfer gyda'ch partner chi?

Chwarae rôl */**/***

Partner 1:
Dych chi'n trefnu digwyddiad arbennig.
Ffoniwch eich partner chi i logi ystafell.
- Cofiwch ddweud:
  - **pwy** dych chi;
  - **beth** dych chi'n drefnu;
  - **beth** dych chi eisiau logi - ystafell / neuadd;
  - y **dyddiad**;
  - yr **amser**.
Gofynnwch oes rhaid i chi **dalu**.

Partner 2:
Mae'ch partner chi'n ffonio i logi ystafell.
Llenwch y ffurflen llogi, ar **Daflen 1**.

TAFLEN 1

- Gwnewch hyn ddwywaith.
(i)   Rhaid i chi logi ystafell.
(ii)   Rhaid i chi lenwi ffurflen llogi ar gyfer eich partner chi.

Os oes angen, ffoniwch i logi lle ar gyfer eich digwyddiad neu eich ymgyrch chi.

TAFLENNI 2A a 2B

TAFLENNI 2C a 2Ch

dulliau	*methods*	taflenni	*leaflets*	hysbysebu	*to advertise*
gwahoddiadau	*invitations*	neges	*message*	cenedlaethol	*national*
dosbarthu	*to distribute*	e-bost	*e-mail*		

Hysbysebu */**/***

Rhaid i chi hysbysebu'r digwyddiad neu'r ymgyrch. Ond sut?
Sut mae'r bobl ifanc ar y fideo'n hysbysebu'r ymgyrch?

TAFLEN 3

- Darllenwch y grid yma - mae'r grid ar **Daflen 3** hefyd.
- Gwyliwch y fideo eto.
- Ticiwch Golofn 2 i ddangos beth mae'r bobl ar y fideo'n wneud.

HYSBYSEBU	Y FIDEO	NI
gwneud poster		
gwneud taflen		
ysgrifennu at y papurau newydd		
siarad ar y ffôn		
anfon neges e-bost		
anfon neges ffacs		
ysgrifennu llythyr		
rhoi gwybodaeth ar y Rhyngrwyd		
siarad ar y radio		
siarad ar y teledu		
arall - beth?		

SESIWN SYNIADAU
Gwrandewch ar syniadau pobl eraill yn y dosbarth

Sut dych chi'n mynd i hysbysebu eich digwyddiad neu eich ymgyrch chi?
- Siaradwch am hyn mewn grŵp.
- Ticiwch Golofn 3.

TAFLEN 3

 Ble? Pwy? */**/***

Ble dych chi'n mynd i hysbysebu?

Dych chi'n mynd i ...?
  ddarllen neges yn y gwasanaeth yn yr ysgol;
  dosbarthu taflenni yn yr ysgol;
  dosbarthu taflenni o ddrws i ddrws;
  anfon neges e-bost at gwmnïau yn yr ardal;
  gwneud rhywbeth arall - beth?

● Siaradwch am hyn mewn grŵp.
● Llenwch y grid, **Taflen 3**.

TAFLEN 3

● **Pwy** sy'n mynd i wneud y gwaith?
● Siaradwch am hyn mewn grŵp.
● Llenwch y grid, **Taflen 3**.

   Gwneud poster *

● Gwyliwch y fideo eto i weld sut mae Siôn yn gwneud y poster.
  Beth mae o'n wneud?
● Siaradwch am hyn mewn grŵp.
● Ysgrifennwch eich syniadau yn eich llyfrau.

Siôn - gwneud poster
Mae Siôn yn defnyddio cyfrifiadur
Mae o'n .....

Dyma boster Siôn.

YMGYRCH RHODODENDRONS

Cae Fron, Maentwrog

**Dydd Sadwrn Mehefin 19
a Dydd Sul Mehefin 20**

**Cyfarfod yn y maes parcio
am 9.00 yn y bore**

Bydd brechdanau a diod i bawb

Beth am wneud poster am eich diwyddiad chi?

Gwneud taflen **/***

Mae Siôn yn gwneud taflenni hefyd.
Beth am wneud taflen am eich digwyddiad chi?
Rhaid i chi ddweud:

- beth ydy'r digwyddiad;
- pwy sy'n trefnu'r digwyddiad;
- pam trefnu'r digwyddiad;
- pryd mae'r digwyddiad - dyddiad
  ac amser;
- ble mae'r digwyddiad;
- unrhyw wybodaeth arall
  (e.e. ble dych chi'n
  cyfarfod, oes rhaid talu).

Beth am roi lluniau yn y daflen, os yn bosibl?

Ysgrifennu at y papur newydd */**/***

Ysgrifennu at y radio */**/***

Ar y fideo, mae Sarah yn ysgrifennu at y papur newydd. Mae hi'n sôn am yr ymgyrch.

● Gwyliwch y fideo unwaith eto i weld pa fath o wybodaeth mae hi'n rhoi.
● Siaradwch am hyn mewn grŵp.
● Ysgrifennwch eich syniadau yn eich llyfrau.

Sarah - ysgrifennu at y papur newydd
Mae Sarah yn ysgrifennu at y papur newydd. Mae hi'n dweud ...

● Ysgrifennwch at y papur newydd neu at yr orsaf radio leol. Rhaid i chi ddisgrifio'ch digwyddiad chi.
● Dilynwch batrwm Sarah.

Siarad am y digwyddiad */**/***

| y cyhoedd | the public |
| cyfweliad | interview |

Ar y fideo, mae Eilir ac Olwen yn siarad am yr ymgyrch.
Mae Eilir yn siarad ar y ffôn.
Mae Olwen yn siarad ar y radio a'r teledu.

● Beth mae Eilir yn ddweud?
● Pa gwestiynau mae dyn y teledu'n gofyn?
● Sut mae Olwen yn ateb?

- Gwyliwch y fideo a siaradwch am hyn mewn grŵp.
- Gwnewch nodiadau yn eich llyfrau.

Eilir ac Olwen - siarad â'r cyhoedd
Mae Eilir yn siarad ar y ffôn. Mae o'n dweud ...
Mae dyn y teledu yn gofyn ...

TAFLEN 4

Beth am wneud cyfweliad ar y radio lleol am eich digwyddiad chi?
- Paratowch sgript gyda'ch partner chi.
- Meddyliwch am gwestiynau ac atebion da.

Rhoi gwybodaeth ar y Rhyngrwyd **/***

| Y Rhyngrwyd | *The Internet* |

Mae'n bosib rhoi gwybodaeth ar y Rhyngrwyd.
Sut?
Pa fath o wybodaeth?
- Siaradwch am hyn mewn grŵp.
- Ysgrifennwch ddarn ar gyfer y Rhyngrwyd.

RHOI GWAHODDIAD

Ar y fideo, mae Mari Wyn yn anfon llythyrau at bobl arbennig.

Mae hi'n gwahodd y bobl yma i ddod i helpu.

- Gwyliwch y fideo i weld at bwy mae hi'n ysgrifennu.
- Siaradwch am hyn mewn grŵp.
- Gwnewch restr yn eich llyfrau.

Dyma gopi o'i llythyr hi.

> Mari Wyn
> Mae Mari Wyn yn ysgrifennu at bobl arbennig. Mae hi'n gwahodd .....
> 1.

SESIWN SYNIADAU

Gwrandewch ar syniadau pobl eraill yn y dosbarth

Ymgyrch Rhododendrons
Adran Amgylchedd y Cyngor
Safle'r Cyngor
Dolgellau

Mai 27

....
....
....
....

Annwyl Gyfaill

Mae tîm o bobl ifanc yn Adran Amgylchedd y Cyngor yn trefnu ymgyrch i glirio'r rhododendrons yn Cae Fron, Maentwrog. Mae'r planhigion wedi cau'r llwybrau ac maen nhw'n lladd planhigion yno.

Mae ymgyrch arbennig - ddydd Sadwrn Mehefin 19 a dydd Sul Mehefin 20 - bydd offer arbennig a dillad diogelwch ar gael i bawb.

Rydyn ni'n cyfarfod am 9 o'r gloch yn y bore yn y maes parcio yn Cae Fron, Maentwrog. Bydd brechdanau a diod i bawb. Rydyn ni'n edrych ymlaen at eich gweld yno.

Yn gywir

Mari Wyn

Mari Wyn

O.N. Dewch â ffrind

Mae Mari Wyn yn anfon y llythyr yma at lawer o bobl.
Mae hi'n ysgrifennu enw a chyfeiriad newydd bob tro.

prif swyddog	*chief officer*	wnewch chi ysgrifennu?	*will you write?*
gwahodd	*to invite*	erbyn	*by*

Weithiau rhaid i chi ysgrifennu llythyr mwy personol - llythyr at un person yn unig.

● Darllenwch y llythyr yma oddi wrth Diane Hughes.
Mae Diane yn un o'r bobl ifanc sy'n trefnu'r Noson Gyrfaoedd.

Ysgol Uwchradd Lleifior
Heol Y Waun
Lleifior
Ffôn: (01322) 682064

27 Mehefin 2000

Prif Swyddog Gyrfaoedd Lleifior
Neuadd y Dref
Lleifior

Annwyl Syr

Rydw i'n fyfyriwr ym Mlwyddyn 11 yn Ysgol Uwchradd Lleifior. Rydyn ni'n trefnu Noson Gyrfaoedd yn yr ysgol, nos Wener, Gorffennaf 18, am wyth o'r gloch.

Rydw i'n ysgrifennu i roi gwahoddiad i chi i agor y noson ac i siarad ychydig am eich gwaith chi.

Mae llawer o fyfyrwyr yr ysgol yn eich nabod chi'n barod. Byddan nhw'n hapus iawn i glywed am eich gwaith chi.

Wnewch chi ysgrifennu i ddweud ydych chi'n gallu dod os gwelwch yn dda - cyn Gorffennaf 4?

Yn gywir,

Diane Hughes

Diane Hughes

Beth dych chi'n ddysgu o'r llythyr?

● Llenwch y grid.

	Manylion
Enw llawn	
Cyfeiriad Diane	
Dyddiad y llythyr	
At bwy mae Diane yn ysgrifennu	
Pam mae hi'n ysgrifennu	
Beth mae hi eisiau	
Pryd mae hi eisiau ateb	

● Ysgrifennwch lythyr yn gwahodd rhywun i'ch digwyddiad chi.
  Beth am ddilyn patrwm un o'r llythyrau yma?

neu

● Ysgrifennwch lythyr hollol newydd os dych chi eisiau.
  Rhaid i chi ddweud:
  ● **beth** ydy'r digwyddiad;
  ● **pwy** sy'n trefnu'r digwyddiad;
  ● **pam** trefnu'r digwyddiad;
  ● **pryd** mae'r digwyddiad - dyddiad ac amser;
  ● **ble** mae'r digwyddiad;
  ● **unrhyw wybodaeth arall** (e.e. ble dych chi'n cyfarfod,
    oes rhaid talu, dych chi eisiau i'r person wneud rhywbeth).

TAFLEN 5

Llythyr arall**/***

Weithiau rhaid i chi ysgrifennu llythyr mwy personol - llythyr at un person yn unig.

● Darllenwch y llythyr yma oddi wrth Diane Hughes.
  Mae Diane yn un o'r bobl ifanc sy'n trefnu'r Noson Gyrfaoedd.

| prif swyddog | *chief officer* | awyddus | *eager/keen* |
| cynrychiolwyr | *representatives* | cytuno | *to agree* |

Ysgol Uwchradd Lleifior
Heol Y Waun
Lleifior
Ffôn: (01322) 682064

Mai 27

Prif Swyddog Gyrfaoedd Lleifior
Neuadd y Dref
Lleifior

Annwyl Syr

Rydw i'n fyfyriwr ym Mlwyddyn 11 yn Ysgol Uwchradd Lleifior. Rydyn ni'n trefnu Noson Gyrfaoedd yn yr ysgol, nos Wener, Gorffennaf 18, o wyth o'r gloch tan tua hanner awr wedi naw.

Bydd y Noson ar gyfer myfyrwyr Blwyddyn 10 - Blwyddyn 13 a'u rhieni nhw ac rydyn ni'n gobeithio bydd llawer o bobl yn dod. Rydyn ni wedi gwahodd cynrychiolwyr o lawer o gwmnïau ac mae nifer fawr wedi cytuno i ddod yn barod.

Rydw i'n ysgrifennu i'ch gwahodd chi i agor y noson ac i siarad ar ddechrau'r noson. Mae llawer o fyfyrwyr yr ysgol wedi cyfarfod â chi'n barod ac rydw i'n siwr bydd pawb yn awyddus i wrando ar beth sy gennych chi i'w ddweud.

Wnewch chi ysgrifennu neu ffonio i ddweud ydych chi'n gallu dod os gwelwch yn dda - cyn Gorffennaf 4?

Yn gywir

Diane Hughes

Diane Hughes.

TAFLEN 5

- Ysgrifennwch lythyr tebyg yn gwahodd rhywun i'ch digwyddiad chi.
- Cofiwch am y manylion i gyd.

ATEB YMHOLIADAU

ymholiadau	*enquiries*
neges	*message*

peiriant ateb	*answerphone*

  ## Ateb ymholiadau */**/***

Ar ôl hysbysebu, mae'n bosib bydd pobl yn ffonio i ofyn am fwy o wybodaeth.

- Gwrandewch ar y neges ar eich peiriant ateb ffôn, **Darn 2** ar y casét.
- Mae rhywun wedi ffonio i ofyn cwestiynau am eich digwyddiad.
- Llenwch y ffurflen ateb ffôn, **Taflen 6**.

- Ffoniwch y person yma (eich partner chi) gyda'r ateb.

TAFLEN 6

GWRTHOD NEU DDERBYN

gwrthod	*to refuse*	cydweithwyr	*colleagues*
derbyn	*to accept*	neu beidio	*or not*

Derbyn llythyr */**/***

Bydd pobl yn ysgrifennu i ddweud ydyn nhw'n gallu dod.
Dyma'r ateb mae Diane wedi dderbyn oddi wrth Dave Edwards.

● Darllenwch y llythyr.

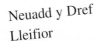

Neuadd y Dref
Lleifior

Gorffennaf 1

Ysgol Uwchradd Lleifior
Heol Y Waun
Lleifior

Annwyl Diane
Diolch yn fawr am eich llythyr chi. Yn anffodus, dydw i ddim yn gallu dod. Rydw i'n mynd i Sbaen ar fy ngwyliau ym mis Gorffennaf.

Pob lwc gyda'r noson!

Yn gywir

Dave Edwards

Dave Edwards.
(Prif Swyddog Gyrfaoedd Lleifior)

Neuadd y Dref
Lleifior

Gorffennaf 1

Ysgol Uwchradd Lleifior
Heol Y Waun
Lleifior

Annwyl Diane

Diolch yn fawr am eich llythyr chi yn gofyn i fi agor eich Noson Gyrfaoedd ac i siarad ar y dechrau. Mae cynnal digwyddiad fel hwn yn syniad da iawn ac rydw i'n siwr bydd myfyrwyr yr ysgol yn cael llawer o wybodaeth am beth i'w wneud ar ôl gadael yr ysgol.

Yn anffodus, fydda i ddim yn gallu dod i'r noson. Mae gen i gyfarfod pwysig yn Llundain ar 18 Gorffennaf a rhaid i fi fynd iddo fo. Fydda i ddim yn ôl tan tua 9.30 - rhy hwyr i agor eich Noson Gyrfaoedd, mae'n ddrwg gen i. Ond rydw i'n gobeithio galw i mewn tua diwedd y noson.

Gobeithio bydd y Noson yn llwyddiant mawr.

Yn gywir

Dave Edwards

Dave Edwards

Ydy Dave Edwards yn derbyn neu'n gwrthod y gwahoddiad? Pam?

Ffonio */**/***

TAFLENNI 7A a 7B

Weithiau, yn lle ysgrifennu, mae pobl yn ffonio.

- Gwrandewch ar y negeseuon ar y peiriant ateb, **Darn 3** ar y casét.
  Pwy sy'n dod?
  Pwy sy ddim yn dod?
- Llenwch y grid, **Taflen 8**.

TAFLEN 8

Eich digwyddiad chi */**/***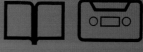

Dych chi wedi cael atebion i'ch llythyrau chi?
Dych chi wedi cael galwadau ffôn?

- Os dych chi, llenwch y grid ar **Daflen 9**.
- Dwedwch wrth bobl eraill yn y grŵp ydy'r bobl yn gallu dod neu beidio.

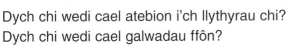 

TAFLEN 9

CYNNAL Y DIGWYDDIAD

croesawu	*to welcome*	cyflwyno	*to introduce*
gwestai	*guest*		

Croesawu */**/***

HELP *

Croeso!	*Welcome!*	Dewch i mewn!	*Come in!*
Sut mae?	*How are you?*	Eisteddwch.	*Sit down.*
Diolch i chi am ddod.		*Thank you for coming.*	
Mae'n braf.		*It's fine.*	
Oes gennych chi docyn?		*Have you got a ticket?*	
Punt os gwelwch yn dda.		*A pound please.*	
Dyma'r newid.		*Here's the change.*	

Mae'n wyntog on'd ydy hi?	*It's windy isn't it?*
Does dim tocyn gennych chi?	*You haven't got a ticket?*
Does dim ots.	*Never mind.*
Cewch chi dalu wrth y drws.	*You can pay at the door.*

HELP **/***

Chwarae rôl */**/***

Rhaid i chi groesawu pobl i'r digwyddiad.
Beth am ymarfer hyn gyda'ch partner chi?

HELP
*

gwestai	*guest*

Dyma ...	*This is ...*
Ga i gyflwyno Mrs Price ?	*May I introduce Mrs Price?*
Mae hi yma heno i agor y Noson.	*She is here tonight to open the Evening.*
Rhowch groeso iddi hi os gwelwch yn dda.	*Please welcome her.*

HELP
/*

Hoffwn i gyflwyno Mrs Price.	*I would like to introduce Mrs Price.*
Mae'n rhoi pleser mawr i mi gyflwyno Mrs Price.	*It gives me great pleasure to introduce Mrs Price.*
Rhowch groeso cynnes iddi hi os gwelwch yn dda.	*Please give her a warm welcome.*

- Rhaid i un person gyflwyno'r gwestai i'r gynulleidfa.
  Ysgrifennwch nodiadau i'ch helpu chi:
  - **pwy** ydy'r person;
  - **beth** mae'n wneud;
  - **pam** dych chi wedi gwahodd y person yma;**/***
  - rhywbeth arall; (**/***)
  - rhowch **groeso** i'r person.
- Cyflwynwch y person.

Diolch */**/***

Diolch yn fawr am ddod yma heno.	*Thank you very much for coming here tonight.*
Mae pawb wedi mwynhau.	*Everyone has enjoyed (themselves).*
Dw i eisiau diolch i chi am agor y Noson.	*I want to thank you for opening the Evening.*

Ga i ddiolch i chi am agor y Noson.	*May I thank you for opening the Evening.*
Hoffwn i ddiolch i chi am agor y Noson.	*I would like to thank you for opening the Evening.*
Ar ran pawb, diolch am ddod.	*On behalf of everyone, thank you for coming.*
Dw i'n siwr bod pawb wedi mwynhau.	*I'm sure that everyone has enjoyed (themselves).*
Mae'n amlwg bod pawb wrth eu bodd.	*It's obvious that everyone had a really good time.*

Rhaid i chi ddiolch i'r gwestai.
- Ysgrifennwch nodiadau i'ch helpu chi.
- Diolchwch i'r gwestai.

HELP
/*

72

Yn yr aseiniad yma:

Dw i wedi siarad mewn grŵp.

Dw i wedi siarad â phartner.

Dw i wedi ysgrifennu llythyr.

Dw i wedi anfon memo neu e-bost.

Dw i wedi ffonio.

Dw i wedi llenwi ffurflen.

Dw i wedi ysgrifennu erthygl.

Dw i wedi gwneud poster.

Dw i wedi gwneud hysbyseb.

Dw i wedi cymryd neges a rhoi neges.

Dw i wedi llogi ystafell.

Dw i wedi croesawu gwestai.

Dw i wedi cyflwyno gwestai.

Dw i wedi diolch i westai.

Dw i wedi defnyddio'r cyfrifiadur.

Adran yr Amgylchedd	
	Department of the Environment
ymgyrch	*campaign*
amgylchedd	*environment*
sbwriel	*rubbish*
gwella	*to improve*
ailgylchu	*to recycle*

Aseiniad 4

Rydych chi'n gweithio i Adran yr Amgylchedd.

Rhaid i chi helpu mewn ymgyrch i wella'r amgylchedd, e.e.:

- clirio sbwriel;
- clirio'r parc;
- plannu blodau;
- gwella rhan o'r ysgol;
- ailgylchu.

SIALENS I'R TÎM

cadwraeth	*conservation*
cyngor	*council*

- Bydd y gwaith yma'n ddefnyddiol i chi mewn swyddi fel:
  - warden mewn parc;
  - warden mewn fforest;
  - gwaith coedwig;
  - gweithio i'r Cyngor.

HELP *

Mae'r ganolfan yn edrych yn ofnadwy. | *The centre looks awful.*
Mae pacedi creision ar y llawr. | *There are crisp packets on the floor.*
Mae'r ffenestri wedi torri. | *The windows are broken.*
Mae llawer o sbwriel. | *There's a lot of rubbish.*
Does dim biniau sbwriel. | *There aren't any rubbish bins.*

HELP **/***

Mae angen gwella'r ganolfan ... | *The centre needs improving ...*
...achos mae'n ... | *... because it's ...*
... anniben / yn flêr. | *... untidy.*
... frwnt / yn fudr. | *... dirty.*
... wag. | *... empty .*
... llawn sbwriel. | *... full of rubbish.*
... ddi-liw. | *... colourless.*

... achos does dim byd yno i blant. | *... because there's nothing there for children.*
... achos does dim seddau i hen bobl. | *... because there are no seats for old people.*
... achos mae'r ffordd yn beryglus. | *... because the road is dangerous.*

Mae'n ofnadwy */**/***

Mae llawer o lefydd hyfryd yng Nghymru.
Ond mae rhai llefydd yn ofnadwy.
Mae llawer o broblemau yn y llefydd yma.

TAFLEN 1

- Gwyliwch y fideo i weld rhai o'r llefydd yma.
  Beth ydy'r problemau?
- Siaradwch am hyn mewn grŵp.
- Yna, ysgrifennwch adroddiad am y llefydd, **Taflen 1**.

MAE'N OFNADWY

 **Eich ardal chi** */**/***

Ble mae'r llefydd hyfryd yn eich ardal chi?
- Siaradwch am hyn mewn grŵp.
- Llenwch grid fel yr un yma:

ENW'R ARDAL:	
LLE	**PAM MAE'N HYFRYD**
1. **Canolfan William Smith** 2.	1. Mae llawer o bethau i blant. 2. Mae llawer o bethau i bobl ifanc. 3. Mae'n lân. 4. Mae'n lliwgar.

Oes problemau yn eich ardal chi?
Beth ydyn nhw?
- Siaradwch am hyn mewn grŵp.
- Llenwch grid fel yr un yma.

ENW'R ARDAL:	
LLE	**PROBLEMAU**
1. **Y parc** 2.	1. Does dim seddau i hen bobl. 2. Does dim digon o bethau ar gyfer plant bach. 3. Mae'r llyn yn beryglus. 4. Mae sbwriel bob man. 5. Does dim biniau.

Beth mae pobl eraill yn feddwl?
- Gwnewch holiadur i weld beth ydy barn pobl eraill.
- Gofynnwch gwestiynau i weld:
  - beth ydy barn pobl eraill am yr ardal;
  - ble mae problemau;
  - beth ydy'r problemau.

| Dych chi'n hoffi byw yma? | Pam? |
| *Do you like living here?* | *Why?* |

| Beth dych chi'n feddwl o ...? | Beth ydy'ch barn chi am ...? |
| *What do you think of ...?* | *What's your opinion of...?* |

| Pam dych chi'n dweud hynny? | Oes problemau yn ...? |
| *Why do you say that?* | *Are there problems in ...?* |

| Ble? | Beth ydy'r problemau? |
| *Where?* | *What are the problems?* |

- Ar ôl gwneud yr holiadur, gofynnwch y cwestiynau i bobl eraill.

Y canlyniadau */**/***

Beth ydy barn pobl eraill am yr ardal? Ble mae'r problemau?
- Gwnewch graff i ddangos:
  - faint o bobl sy'n hoffi byw yn yr ardal;
  - faint o bobl sy ddim yn hoffi byw yn yr ardal;
  - y prif broblemau: rhestrwch y prif broblemau
    ar waelod y graff;
  - dangoswch faint o bobl siaradodd am y problemau yma.

SESIWN SYNIADAU
Gwrandewch ar syniadau pobl eraill yn y dosbarth.

- Ysgrifennwch adroddiad am y problemau yn eich ardal chi.
- Defnyddiwch eich holiaduron a'r graff i'ch helpu chi.
  Dwedwch:
  - beth ydy barn pobl am yr ardal;
  - ble mae'r problemau;
  - beth ydy'r problemau.

cwyno	*to complain*	llythyron	*letters*
baw ci	*dog mess*		

- Mae Adran yr Amgylchedd yn cael llawer o lythyron.
- Yn y llythyron mae pobl yn cwyno am yr amgylchedd lleol.
- Darllenwch y llythyr yma*.

22 Lôn y Parc
Caerfawr

14 Mawrth

Adran Amgylchedd y Cyngor
Neuadd y Sir
Caerfawr

Annwyl Syr/Madam

Rydw i'n byw yn agos i'r hen Ganolfan Siopa. Rydw i'n ysgrifennu i gwyno achos mae'n edrych yn ofnadwy!

Mae graffiti ar y waliau. Mae'r ffenestri wedi torri. Mae sbwriel bob man achos does dim biniau. Mae baw ci ar y palmant.

Rhaid i chi wneud rhywbeth i wella'r Ganolfan. Mae byw yma'n ofnadwy!

Yn gywir

Howard Franks

Howard Franks

- Darllenwch y llythyr yma.**/***

cyflwr	*condition*	afiach	*unhygienic*
llygod mawr	*rats*	nodwydd	*needle*

22 Lôn y Parc
Caerfawr

14 Mawrth

Adran Amgylchedd y Cyngor
Neuadd y Sir
Caerfawr

Annwyl Syr

Rydw i'n byw gyferbyn â'r Ganolfan ac rydw i'n ysgrifennu atoch chi i gwyno. Mae'r Ganolfan mewn cyflwr ofnadwy! Mae'n anniben ac yn frwnt ac yn beryglus.

Mae'n anniben ac yn frwnt.

(i) Mae pobl ifanc wedi bod yn peintio graffiti ar y waliau ac yn taflu papurau, poteli a phob math o sbwriel o gwmpas y lle.

(ii) Does dim biniau.

(iii) Mae'r ffenestri a'r drysau wedi torri.

(iv) Mae'r paent yn pilio o'r waliau.

Mae'n beryglus.

(i) Oherwydd y sbwriel, rydw i'n poeni bydd llygod a llygod mawr yn byw yma. Mae hyn yn beryglus iawn, wrth gwrs.

(ii) Hefyd, mae baw ci bob man ac mae hwn yn afiach!

(iii) Mae gwydr wedi torri bob man. Mae llawer o blant bach yn chwarae o gwmpas y Ganolfan ac rydw i'n poeni bydd rhywun yn brifo.

(iv) Mae llawer o nodwyddau o gwmpas y lle. Eto, rydw i'n poeni am blant bach yn chwarae yma. Beth fydd yn digwydd os bydd un o'r plant bach yn codi nodwydd?

Problemau eraill

Does dim byd yn yr ardal yma ar gyfer pobl ifanc – dim clwb ieuenctid, dim canolfan lle maen nhw'n gallu cyfarfod, dim caffi. Felly, maen nhw'n sefyll o gwmpas y Ganolfan tan yn hwyr yn y nos, yn gwneud sŵn. Mae hyn yn broblem fawr i ni!

Rhaid i chi wneud rhywbeth i wella'r Ganolfan yma. Rhaid i chi wella bywyd pobl yr ardal, a bywyd pobl ifanc yr ardal.

Yn gywir

Howard Franks

Howard Franks

TAFLEN 2

TAFLEN 3

- Rhaid i chi wneud nodyn o bob llythyr sy'n dod i'r adran.
- Llenwch y ffurflen, **Taflen 2**.

'R ATEB I'R BROBLEM

Sut mae gwella'r problemau yng Nghaerfawr?
● Siaradwch am hyn mewn grŵp.
Beth am y Ganolfan Siopa, y parc a'r Clwb Ieuenctid ar y fideo?
Sut mae gwella'r problemau yna tybed?

 ## Y pwyllgor */**/***

Mae pwyllgor o'r Cyngor yn cyfarfod i siarad am y problemau yn y Ganolfan Siopa, y parc a'r Clwb Ieuenctid.
Maen nhw'n siarad am y llythyron cwyno hefyd.
Yna, maen nhw'n meddwl am ateb i'r problemau.
Maen nhw'n mynd i gynnal cystadleuaeth – cystadleuaeth i bobl ifanc.
Maen nhw'n mynd i osod sialens i grwpiau o bobl ifanc – sialens gwella'r amgylchedd.

TAFLEN 4

● Gwyliwch y fideo.
Beth mae'r pwyllgor yn benderfynu?
Gorffennwch y cofnodion ar **Daflen 4**.

 ## Eich problemau chi */**/***

HELP
*

Beth am wella'r parc?	*What about improving the park?*
Beth am wella'r coridor?	*What about improving the corridor?*
Beth am blannu blodau o flaen yr ysgol?	*What about planting flowers in front of the school ?*
Syniad da! Rydw i'n cytuno.	*A good idea! I agree.*
O na! Dydw i ddim yn cytuno.	*Oh no! I don't agree.*

Mae angen gwella'r coridor gwaelod.	*The bottom corridor needs improving.*
Oes, rydw i'n cytuno achos …	*Yes, I agree because …*
… mae'n anniben.	*… it's untidy.*
… mae'n dywyll.	*… it's dark.*
… mae'r ffenestri wedi torri.	*… the windows are broken.*
… mae'r to'n gollwng.	*… the roof is leaking.*
Gallen ni wella'r coridor, achos …	*We could improve the corridor, because …*
… mae e mewn cyflwr ofnadwy.	*… it's in a terrible condition.*
Na, dydw i ddim yn cytuno, achos …	*No, I don't agree, because …*
… mae'n rhy ddrud.	*… it's too expensive.*
… mae'n ormod o waith.	*… it's too much work.*
… mae'n waith brwnt iawn.	*… it's very dirty work.*

Beth am geisio gwella un o'r problemau yn eich ardal chi neu yn eich ysgol chi?

● Darllenwch eich adroddiadau'n uchel (tud. 78).

● Penderfynwch ar ymgyrch i wella un o'r problemau yma.

● Dwedwch PAM rydych chi'n penderfynu ar yr ymgyrch yma. **/***

● Ysgrifennwch eich syniadau yn eich llyfrau.

SESIWN SYNIADAU
Gwrandewch ar syniadau pobl eraill yn y dosbarth.

tacluso	*to tidy*	mesur	*to measure*
trwsio	*to repair*	beth yn union	*what exactly*
golau	*light*	manylion	*details*

HELP

Rhaid iddyn nhw drwsio'r ffenestri.	*They must repair the windows.*
Rhaid iddyn nhw beintio'r waliau.	*They must paint the walls.*
Rhaid i ni drwsio'r drws.	*We must repair the door.*
Rhaid i ni beintio'r waliau.	*We must paint the walls.*
Oes rhaid i ni brynu paent?	*Do we have to buy paint?*
Oes. / Nac oes.	*Yes. / No.*

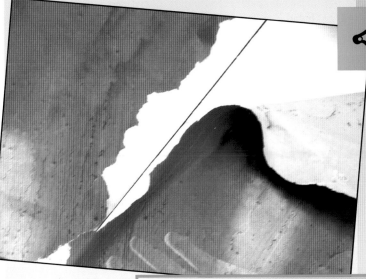

  Beth? */**/***

Mae'r bobl ifanc ar y fideo yn mynd i weld y Clwb Ieuenctid.
Maen nhw'n penderfynu beth maen nhw'n mynd i wneud.

- Gwyliwch y fideo.
- Yn eich llyfrau, ysgrifennwch beth mae rhaid iddyn nhw wneud.
- Ysgrifennwch sut maen nhw'n mynd i gael y paent, y carped ac ati.

YMGYRCH GWELLA'R CLWB IEUENCTID

1. Rhaid iddyn nhw …
2. Rhaid iddyn nhw ….

Yn anffodus, does dim arian, felly rhaid iddyn nhw …

SESIWN SYNIADAU
Gwrandewch ar syniadau pobl eraill yn y dosbarth.

cynllun gweithredu   *action plan*

Eich ymgyrch chi */**/*** 👥 ✍️

Rydych chi wedi penderfynu ar ymgyrch.
Ond beth yn union rhaid i chi wneud?

- Siaradwch am y manylion mewn grŵp.
- Ysgrifennwch nodiadau yn eich llyfrau.

SESIWN SYNIADAU

Gwrandewch ar syniadau pobl eraill yn y dosbarth

YNLLUN GWEITHREDU

HELP
*****

Rhaid i ni ffonio busnesau lleol.	*We must phone local businesses.*
Rhaid i ti ysgrifennu at Mrs Williams.	*You must write to Mrs Williams.*
Beth am ofyn am baent glas?	*What about asking for blue paint?*
Beth am ofyn i Gwmni Jones?	*How about asking Jones & Co?*
Wnei di ffonio?	*Will you phone?*
Wnewch chi ffonio?	*Will you phone?*
Wna i. / Wnawn ni.	*Yes (I will). / Yes (we will).*
Na wna. / Na wnawn.	*No (I won't). / No (we won't).*
Iawn.	*Alright.*
Na. Dydw i ddim eisiau.	*No, I don't want to.*

HELP
/*

Wnei di ffonio ar unwaith?	*Will you telephone at once?*
Wnewch chi ofyn am ateb cyn diwedd yr wythnos?	*Will you ask for a reply before the end of the week?*
Elli di alw yn y siop?	*Can you call in the shop?*
Allwch chi alw yn y siop?	*Can you call in the shop?*
Galla. / Gallwn.	*Yes (I can). / Yes (we can).*
Na alla. / Na allwn.	*No (I can't). / No (we can't).*
Fedri di alw yn y siop?	*Can you call in the shop?*
Fedrwch chi alw yn y siop?	*Can you call in the shop?*
Medra. / Medrwn.	*Yes (I can). / Yes (we can).*
Na fedra. / Na fedrwn.	*No (I can't). / No (we can't).*

  Gwneud cynllun gweithredu */**/***

Mae'r bobl ifanc ar y fideo'n gwneud cynllun gweithredu.
Maen nhw'n mynd i ofyn am help gan fusnesau lleol.
Maen nhw'n chwilio am gyfeiriad y bobl yma.
Maen nhw'n penderfynu:

- **pwy** sy'n gofyn;
- **sut** maen nhw'n mynd i ofyn;
- **beth** maen nhw eisiau;
- **faint** maen nhw eisiau.

Enw	Enw'r Cwmni	Cyfeiriad	Sut?	Beth?	Faint?
Catrin Brooks Siân Lloyd Roberts	Wholesale Paints	Stad Ddiwydiannol Y Rhyl	Mynd yno i weld Mr Roberts – gwneud apwyntiad	Paent *emulsion* golau Paent *gloss* gwyn Paent *undercoat* gwyn	30 litr 5 litr 5 litr
Mari Wyn	Hughes Grey Builders Merchants	Stad Ddiwydiannol Glandŵr	Ffonio a ffacsio Mrs Williams 01745 819999	Sêt toiled a sistern toiled	un un
Siôn Llwyd	Malden Windows and Glass	Ffordd yr Orsaf, Dinbych	Llythyr + llun (Mr Ben Malden – perchennog)	Gwydr neu ffenest newydd Pwti	un 2 kilo
Sarah Davies	Finnigans Carpet Warehouse	Ffordd Rhuddlan, Y Rhyl	Llythyr e-bost (Mr Kevin Finnigan, mab y perchennog) finnigancarpets@ thewarehouse.co.uk	Carped *neu* Teils *neu* Vinolay	80 metr sgwâr

- Gwnewch gynllun gweithredu.

Beth am ddilyn fformat cynllun gweithredu'r grŵp?

neu

- Gwnewch gynllun gweithredu arall, e.e.

ENW	TASG	ERBYN PRYD

SESIWN SYNIADAU

Gwrandewch ar syniadau pobl eraill yn y dosbarth.

GOFYN AM HELP

HELP

Ydych chi'n gallu helpu os gwelwch yn dda?	*Can you help please?*
Ydych chi'n gallu rhoi posteri i ni os gwelwch yn dda?	*Can you give us some posters please?*
Ydych chi'n fodlon rhoi paent i ni os gwelwch yn dda.	*Are you willing to give us some paint please?*
Ydych chi'n gallu dod i helpu os gwelwch yn dda?	*Can you come and help please?*
Gawn ni bosteri os gwelwch yn dda?	*Can we have some posters please?*
Gawn ni help os gwelwch yn dda?	*Can we have some help please?*
Cewch.	*Yes.*
Na chewch, mae'n flin gyda fi.	*No, I'm sorry.*
Na chewch, mae'n ddrwg gen i.	*No, I'm sorry.*

Wnewch chi helpu os gwelwch yn dda?	*Will you help please?*
Wnewch chi roi posteri i ni os gwelwch yn dda?	*Will you give us some posters please?*
Wna i. / Wnawn ni.	*Yes (I will). / Yes (we will).*
Mae'n flin gyda fi, ond …	*Sorry, but …*
Mae'n ddrwg gen i ond …	*Sorry, but …*
Allwch chi roi paent i ni os gwelwch yn dda?	*Can you give us some paint, please?*
Galla. / Gallwn.	*Yes (I can). / Yes (we can).*
Fedrwch chi ddod i helpu os gwelwch yn dda?	*Can you come and help please?*
Medra. / Medrwn.	*Yes (I can). / Yes (we can).*

HELP

/*

● Gwyliwch y fideo i weld sut mae Mari'n gofyn am help gan Mrs Williams.
  Dyma beth mae hi'n ddweud:

Mari:	Helo, ga i siarad gyda Mrs Williams, os gwelwch yn dda?	←	*Gofyn am Mrs Williams.*
Mrs Williams:	Helo, Mrs Williams yn siarad …		
Mari:	Helo, Mrs Williams, Mari ydw i, yn y tîm pobl ifanc sy'n newid neuadd y dref gyda Catrin Brooks a'r criw teledu.	←	*Pwy ydy hi.*
Mrs Williams:	O ie?		
Mari:	Does dim arian gennyn ni ar gyfer y prosiect, felly rydyn ni'n gofyn am help busnesau lleol.	←	*Beth ydy'r broblem.*
Mrs Williams:	O? Beth rydych chi eisiau?		
Mari:	Wel, mae rhaid trwsio'r toiledau. Mae angen sêt a sistern newydd.	←	*Beth mae hi eisiau.*
Mrs Williams:	Pa liw ydy'r sistern?		
Mari:	Gwyn – ond does dim ots pa liw ydy'r sêt.		
Mrs Williams:	Iawn – dim problem.		
Mari:	O, diolch Mrs Williams. Diolch yn fawr.	←	*Diolch.*
Mrs Williams:	Sistern gwyn a sêt toiled …		

Oes rhaid i chi ffonio i ofyn am rywbeth?
Beth am ymarfer gyda'ch partner chi yn gynta?

Chwarae rôl */**/***

Partner 1:   Ffoniwch fusnes lleol (eich partner chi) i ofyn am help.

Partner 2:   Rydych chi'n gweithio i fusnes lleol. Mae'ch partner chi'n ffonio i ofyn am help.
Ceisiwch helpu neu dwedwch "Mae'n ddrwg gen i". Rhowch reswm.**/***

● Gwnewch hyn ddwywaith. Rhaid i chi ffonio unwaith. Rhaid i chi geisio helpu unwaith.

Ysgrifennu llythyr/Anfon e-bost */**/***

Dyma'r neges e-bost mae Sarah yn anfon. Mae hi'n gofyn am deils a charped.

Annwyl Mr Finnigan

Rydyn ni'n gwneud gwaith ar y clwb ieuenctid gydag adran amgylchedd y cyngor a chriw ffilmio teledu. Does dim arian i wneud y gwaith – a'r sialens i'r tîm ydy trwsio a newid yr adeilad gyda help pobl a busnesau lleol.

Does dim teils na charped ar y llawr ac rydyn ni'n chwilio am rywbeth i fynd ar y llawr i wneud y lle yn fwy cartrefol. Does dim ots pa liw. Ydych chi'n gallu helpu os gwelwch yn dda?

Diolch yn fawr i chi am eich help.

Sarah Davies

Oes rhaid i chi ysgrifennu llythyr neu neges e-bost yn gofyn am rywbeth?

Mae Catrin Brooks a Siân Lloyd Roberts yn mynd i siop arbennig i ofyn am baent.
Fel Mari, ar y ffôn, maen nhw'n dweud:
- pwy ydyn nhw;
- beth ydy'r broblem;
- beth maen nhw eisiau;
- diolch.
- Gwyliwch y fideo.

Oes rhaid i chi fynd i ofyn am rywbeth?
Beth am ymarfer gyda'ch partner chi yn gynta?

 # Chwarae rôl */**/***

Partner 1: Rydych chi'n mynd i ofyn am help gyda'r ymgyrch.
Ewch i fusnes lleol (eich partner chi) i ofyn am help.

Partner 2: Rydych chi'n gweithio i fusnes lleol. Mae'ch partner chi'n dod i ofyn am help.
Ceisiwch helpu neu dwedwch "Mae'n flin gyda fi."
Rhowch reswm.

- Gwnewch hyn ddwywaith.
  - Rhaid i chi siarad â rhywun o'r busnes; **a**
  - Rhaid i chi geisio helpu.

Cael help */**/***

Mae'r busnesau ar y fideo'n helpu.
Pa fath o help mae'r bobl ifanc yn gael?

● Llenwch grid fel yr un yma.
● Gwyliwch y fideo i gael mwy o wybodaeth.

Enw'r busnes	Beth maen nhw'n gael
Hughes Grey Builders Merchants - Mrs Williams	
Wholesale Paints – Mr Roberts	

Mae cwmnïau eraill yn helpu hefyd.

● Gwrandewch ar **Ddarn 1** ar y casét.
● Ysgrifennwch enw'r busnes yn y grid.
● Ysgrifennwch beth mae'r busnes yn roi i'r bobl ifanc.

Ydych chi wedi cael help gan rywun?

● Gwnewch grid i ddangos:
  ● **pwy** sy'n helpu;
  ● **sut** maen nhw'n helpu.

TAFLEN 5   **TAFLENNI 6A a 6B**

Y GWAITH

Amser gweithio */**/***

- Gwyliwch y fideo i weld y tîm yn gweithio yn y Clwb Ieuenctid.

Y canlyniad */**/***

Mae'r bobl ifanc yn gweithio'n galed yn y Clwb Ieuenctid.
Ond sut mae'r lle'n edrych ar ôl y gwaith caled?
Gwyliwch y fideo eto.

Beth sy wedi digwydd?
Ysgrifennwch ddisgrifiad o'r lle CYN ac AR ÔL y gwaith e.e.:

*

Y CLWB IEUENCTID	
CYN	AR ÔL
1. Roedd y Clwb Ieuenctid yn frwnt ac yn anniben. 2.	1. Mae'r Clwb yn lân ac yn daclus. 2.

/*

Y CLWB IEUENCTID	
CYN	AR ÔL
1. Roedd y Clwb Ieuenctid yn frwnt ac yn anniben. 2.	1. Mae'r Clwb yn lân ac yn daclus achos mae'r bobl ifanc wedi clirio'r sbwriel a glanhau'r lle. Maen nhw wedi prynu biniau sbwriel newydd. 2.

SESIWN SYNIADAU
Gwrandewch ar syniadau pobl eraill yn y dosbarth

EICH TRO CHI

Eich tro chi */**/***

Pob hwyl gyda'ch ymgyrch chi!
- Beth am wneud fideo neu dynnu lluniau?

Y canlyniad */**/***

Rydyn ni wedi tacluso'r lle.	*We've tidied the place.*
Rydyn ni wedi casglu'r sbwriel.	*We've collected the rubbish.*
Rydyn ni wedi gwella'r ystafell.	*We've improved the room.*
Gweithion ni'n galed.	*We worked hard.*
Golchon ni'r waliau.	*We washed the walls.*
Peintion ni'r waliau.	*We painted the walls.*
Cawson ni help gan ...	*We had help from ...*

Ydych chi wedi gwella'r amgylchedd?
Sut rydych chi wedi gwella'r amgylchedd?
- Mewn grŵp siaradwch am beth rydych chi wedi wneud. Gwnewch nodiadau.
- Yna, gwnewch grid CYN ac AR ÔL i ddangos sut rydych chi wedi gwella'r amgylchedd.

SESIWN SYNIADAU
Gwrandewch ar syniadau pobl eraill yn y dosbarth

cyfarfod	*meeting*

- Mae'r gwaith caled wedi gorffen!
- Ond nawr rhaid i chi ysgrifennu adroddiad ar yr ymgyrch.

Ysgrifennu adroddiad */**/***

- Darllenwch adroddiad Catrin ar y gwaith yn y Clwb Ieuenctid.

*/**

YMGYRCH I WELLA'R CLWB IEUENCTID
Dyddiad: Mai 3 - 10

ADRODDIAD

Daeth pump o bobl ifanc i helpu gyda'r gwaith. Roedd rhai'n peintio'r waliau, roedd rhai'n trwsio'r toiledau, roedd rhai'n trwsio'r ffenestri. Roedd pawb yn gweithio'n galed iawn.

Roedd busnesau'n barod i helpu, e.e.

> *Wholesale Paints* – paent
> *Hughes Grey Builders Merchants* – sêt toiled a sistern
> *Malden Windows and Glass* – ffenest
> *Sound Plus* – peiriant chwarae CDs
> *Recordiau Richard* – CDs
> *Pete's Floorcoverings* - carped

Rydyn ni'n mynd i ysgrifennu i ddiolch i'r busnesau yma.

Rydyn ni'n mynd i drefnu parti i ddweud diolch i'r bobl yma – ac i agor y Clwb Ieuenctid. Mae croeso i'r pwyllgor ddod hefyd wrth gwrs!

Mae'r Clwb Ieuenctid yn edrych yn wych. Mae'n lân ac yn lliwgar nawr. Bydd y bobl ifanc yn hapus iawn yno.

Catrin Brooks
Mehefin 6

YMGYRCH I WELLA'R CLWB IEUENCTID
Dyddiad: Mai 3 - 10

ADRODDIAD

Daeth pump o bobl ifanc i helpu gyda'r gwaith o wella'r Clwb Ieuenctid.

Yn gynta, penderfynon ni beth roedd pawb yn mynd i wneud. Roedd rhai'n barod i beintio'r waliau ac i lanhau'r lle. Roedd rhai'n gallu trwsio'r toiledau a'r ffenestri.

Achos doedd dim arian gyda ni, roedd rhaid i ni ofyn i fusnesau lleol am help. Yn ffodus, dim ond un oedd yn methu helpu – cwmni gwerthu carpedi. Ond cawson ni garpedi gan gwmni arall, felly roedd popeth yn iawn. Helpodd y cwmnïau yma ni:

Wholesale Paints – Paent
Hughes Grey Builders Merchants – Sêt toiled a sistern
Malden Windows and Glass – ffenestri
TV and Video Plus – teledu a fideo
Popeth i'r Cartref – llenni
Pete's Floorcoverings - carped

Roedd y busnesau'n garedig iawn. Rydyn ni'n mynd i ysgrifennu i ddiolch i bawb am eu help. Rydyn ni'n mynd i roi gwahoddiad iddyn nhw ddod i weld y Clwb hefyd.

Rydyn ni'n mynd i drefnu parti i agor y Clwb Ieuenctid ar ddiwedd y mis. Bydd gwahoddiad i bawb sy wedi helpu ac i bobl ifanc yr ardal. Mae croeso i'r pwyllgor ddod hefyd wrth gwrs!

Mae'r lle wedi newid yn fawr. Mae'n lân ac yn lliwgar ac yn ddeniadol. Bydd pobl ifanc yr ardal wrth eu bodd yno.

Catrin Brooks
Mehefin 6

Eich adroddiad chi */**/***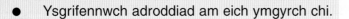

- Ysgrifennwch adroddiad am eich ymgyrch chi.

Siarad am yr adroddiad */**/***

Rhaid i chi siarad am yr adroddiad mewn pwyllgor o'r Cyngor.
- Dwedwch beth sy yn yr adroddiad – beth rydych chi wedi wneud.

Bydd y pwyllgor yn gofyn cwestiynau i chi.
- Atebwch y cwestiynau.

DIOLCH

diolchgar	*grateful*	newid mawr	*a great change*
hoffwn i'ch gwahodd chi …	*I would like to invite you …*		

Ysgrifennu llythyr */**/***

- Rhaid i chi ysgrifennu i ddiolch am yr help.
- Darllenwch y llythyr yma.

Adran yr Amgylchedd
Neuadd y Sir
Caerfawr

8 Mehefin

Mr Roberts
Wholesale Paints
Stad Ddiwydiannol Y Rhyl
Y Rhyl

Annwyl Mr Roberts,

Rydw i'n ysgrifennu i ddweud diolch yn fawr i chi am roi'r paent i ni ar gyfer y Clwb Ieuenctid. Mae'r lliw'n hyfryd ac mae'r Clwb yn edrych yn olau ac yn lân nawr.

Rydyn ni wedi gweithio'n galed yn y Clwb. Rydyn ni wedi trwsio'r ffenestri a'r toiledau. Rydyn ni wedi cael carped a llenni newydd – ac rydyn ni wedi peintio pob wal.

Rydyn ni'n ddiolchgar iawn i bawb am helpu. Yn wir, rydyn ni'n trefnu parti bach i ddiolch i bawb, nos Sadwrn, Mehefin 30 am 7.30 – yn y Clwb Ieuenctid.

Hoffwn i'ch gwahodd chi i'r parti yma. Byddwch chi'n gweld newid mawr yn y Ganolfan, rydw i'n siwr.

Yn gywir,

Catrin Brooks

Catrin Brooks

Yn yr aseiniad yma:

Rydw i wedi siarad mewn grŵp.

Rydw i wedi siarad â phartner.

Rydw i wedi darllen llythyr.

Rydw i wedi ysgrifennu llythyr.

Rydw i wedi ysgrifennu memo.

Rydw i wedi llenwi ffurflen.

Rydw i wedi ffonio.

Rydw i wedi anfon neges e-bost.

Rydw i wedi ymweld â busnes arbennig.

Rydw i wedi trefnu ymgyrch.

Rydw i wedi ysgrifennu adroddiad.

Rydw i wedi rhoi adroddiad.

Rydw i wedi defnyddio cyfrifiadur.

Rydw i wedi gwneud cynllun gweithredu.

ARDDANGOSFA

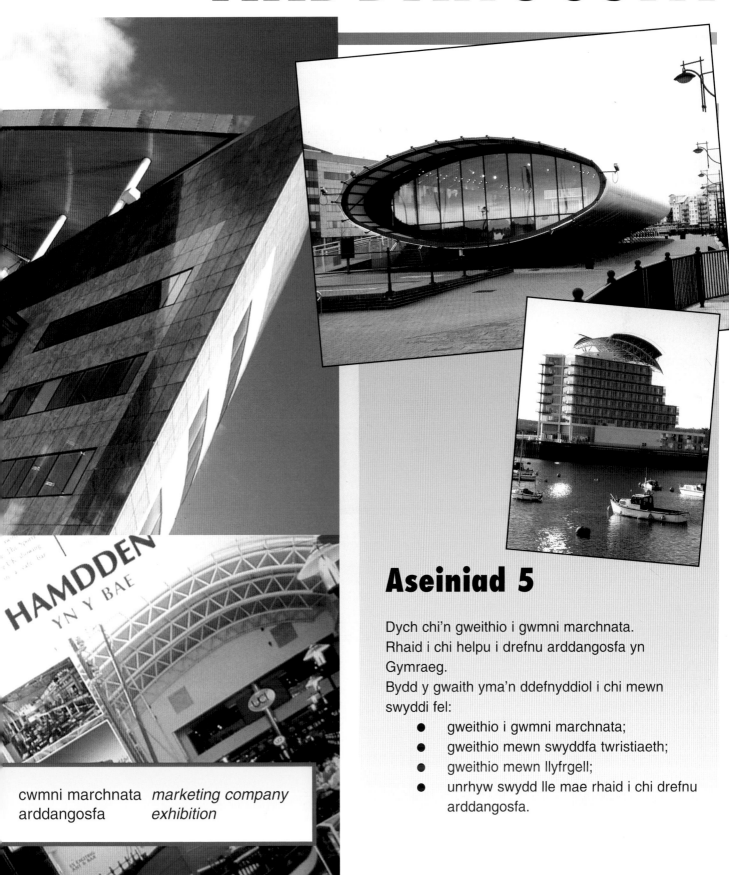

Aseiniad 5

Dych chi'n gweithio i gwmni marchnata.
Rhaid i chi helpu i drefnu arddangosfa yn
Gymraeg.
Bydd y gwaith yma'n ddefnyddiol i chi mewn
swyddi fel:

- gweithio i gwmni marchnata;
- gweithio mewn swyddfa twristiaeth;
- gweithio mewn llyfrgell;
- unrhyw swydd lle mae rhaid i chi drefnu
  arddangosfa.

cwmni marchnata	*marketing company*
arddangosfa	*exhibition*

trefnu	to organise	ffatrïoedd	factories
cwmnïau	companies	ar draws y byd	all over the world
arddangos	to exhibit, to demonstrate	gwledydd	countries

Yr arddangosfa */**/***

Dych chi'n mynd i helpu grŵp o bobl ifanc o'r cwmni marchnata i drefnu arddangosfa arbennig.

Gwybodaeth am yr arddangosfa:

Mae cwmnïau arbennig yn dod i'r arddangosfa.
Maen nhw'n mynd i arddangos beth maen nhw'n wneud.
Mae rhai o'r cwmnïau'n dod o wledydd eraill.
Mae gan y cwmnïau yma ffatrïoedd yng Nghymru.

Cwmnïau o wledydd eraill */**/***

Yng Nghymru, mae cwmnïau a ffatrïoedd o wledydd ar draws y byd.

- Gwyliwch y fideo.
  Mae'r bobl yn siarad am gwmnïau o wledydd eraill. Maen nhw'n siarad am wahanol fathau o gwmnïau hefyd.
  Pa wledydd? Pa gwmnïau?
- Ysgrifennwch enwau'r gwledydd mewn grid fel yr un cyntaf.
  Ysgrifennwch enwau'r cwmnïau – yn yr ail grid.
  Ceisiwch ysgrifennu ychydig o wybodaeth am y cwmnïau hefyd.

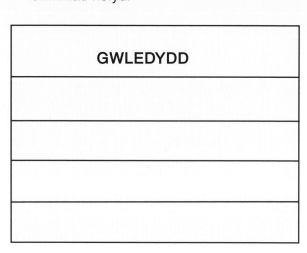

GWLEDYDD

CWMNïAU

TREFNU'R ARDDANGOSFA

penderfynu	*to decide*	arian	*money, currency*
Y Dwyrain Pell	*The Far East*	iaith	*language*
llyfryn	*booklet*	pobl enwog	*famous people*
pecyn	*pack*	Bwrdd Twristiaeth	*Tourist Board*
prifddinas	*capital city*	y Rhyngrwyd	*the Internet*

Beth? / Sut? */**/***

Ar y fideo, mae'r bobl yn penderfynu ar 3 grŵp o wledydd ar gyfer yr arddangosfa:

America

Y Dwyrain Pell
- e.e. Japan

Ewrop

Yna, maen nhw'n penderfynu pa fath o wybodaeth maen nhw'n mynd i roi yn yr arddangosfa.

- Gwyliwch y fideo.
  Pa fath o wybodaeth maen nhw'n mynd i roi yn yr arddangosfa?
- Siaradwch am hyn mewn grŵp.
- Ysgrifennwch eich syniadau mewn grid fel yr un yma – Colofn 1.

GWYBODAETH AR GYFER YR ARDDANGOSFA	
BETH	SUT
1. Prifddinas y wlad	1. Ysgrifennu at y cwmnïau

Sut? */**/***

Sut maen nhw'n mynd i gael y wybodaeth?
- Gwyliwch y fideo.
- Siaradwch am hyn mewn grŵp.
- Ysgrifennwch eich syniadau mewn grid fel yr un uchod – Colofn 2.

ARDDANGOSFA DDA?

byrddau	*boards*	ysgrifen	*writing*
taflenni	*leaflets*	labelu	*to label*
paneli gwybodaeth	*information panels*	edrych yn ôl	*to look back*
digon i weld	*plenty to see*	edrych ymlaen	*to look forward*
digon i wneud	*plenty to do*		

Edrych ar arddangosfa */**/***

Cyn mynd i chwilio am wybodaeth, mae'r bobl ifanc eisiau gwybod beth ydy arddangosfa dda. Felly, maen nhw'n mynd i edrych ar arddangosfa arall.

- Gwyliwch y fideo.
  Beth sy yn yr arddangosfa yma?
  e.e.   Oes fideo yn yr arddangosfa?
         Oes taflenni?
         Oes lluniau lliwgar?
         Oes posteri?
         Ydy'r ysgrifen yn glir?

- Gwnewch nodiadau.

Arddangosfa dda? */**/***

HELP */**

Mae'r arddangosfa'n dda.	*The exhibition is good.*
Mae'r arddangosfa'n lliwgar.	*The exhibition is colourful.*
Mae hi'n effeithiol.	*It's effective.*
Mae'r fideo'n ddiddorol.	*The video is interesting.*
Mae'r model yn ardderchog.	*The model is excellent.*

Dydy'r arddangosfa ddim yn dda iawn.	*The exhibition isn't very good.*
Dydy'r ffotograffau ddim yn dda iawn.	*The photographs aren't very good.*
Dydy'r lluniau ddim yn glir.	*The pictures aren't clear.*
Dydy'r model ddim yn gyffrous iawn.	*The model isn't very exciting.*

Mae'r arddangosfa'n ardderchog…	The exhibition is excellent …
… achos…	… because …
… mae hi'n lliwgar.	… it's colourful.
… mae hi'n rhoi llawer o wybodaeth.	… it's very informative.
Mae hi'n effeithiol…	It's effective….
… achos …	… because …
… mae llawer o wybodaeth yma.	… there's a lot of information here.
… mae digon o bethau i weld.	… there's plenty to see.
Mae'r posteri a'r taflenni'n dda …	The posters and leaflets are good …
… achos …	… because …
… mae'r ysgrifen yn glir.	… the writing is clear.
… mae'r diagramau'n ddiddorol.	… the diagrams are interesting.
Dydy'r arddangosfa ddim yn dda iawn …	The exhibition isn't very good …
… achos …	… because …
… dydy'r ffotograffau ddim yn glir iawn.	… the photographs aren't very clear.
… dydy'r lluniau ddim yn glir.	… the pictures aren't clear.
… mae popeth yn statig.	… everything is static.

Beth ydy'ch barn chi am yr arddangosfa ar y fideo?

Pam dych chi'n dweud hynny?

● Siaradwch am hyn mewn grŵp.

SESIWN SYNIADAU
Gwrandewch ar syniadau pobl eraill yn y dosbarth

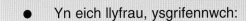

● Yn eich llyfrau, ysgrifennwch:
  ● beth sy yn yr arddangosfa;
  ● beth ydy'ch barn chi am yr arddangosfa.

ARDDANGOSFA BAE CAERDYDD

Yn yr arddangosfa mae ....

..

Mae'r .... yn effeithiol achos

..

..

..

CHWILIO AM WYBODAETH

chwilio am	*to look for*	gwybodaeth	*information*

Beth?

Beth am chwilio am wybodaeth am …?
  … fwyd Ffrainc
  … dywydd Sbaen
  … berson enwog o'r Almaen

What about looking for information on …?
  … French food
  … Spain's weather
  … a famous person from Germany

Sut?

Beth am fynd i'r llyfrgell?
Beth am ddefnyddio'r Rhyngrwyd?

What about going to the library?
What about using the Internet?

Dw i'n mynd i ffonio siop deithio.

I'm going to phone a travel agent.

Dw i'n mynd i ysgrifennu llythyr.

I'm going to write a letter.

Wyt ti eisiau anfon ffacs?
Iawn.

Do you want to send a fax?
Alright.

Beth?

Gallen ni chwilio am wybodaeth am …
  … fwyd Ffrainc
  … arian Sbaen

We could look for information on …
  … French food
  … Spanish currency

Sut?

Gallen ni ysgrifennu at y Bwrdd Twristiaeth.
  Gallen.
Gallet ti edrych ar y Rhyngrwyd.
  Gallwn.
Gallet ti ysgrifennu at y Bwrdd Twristiaeth.
  Iawn.
Na, dw i ddim eisiau gwneud hynny.

We could write to the Tourist Board.
  Yes (we could).
You could look on the Internet.
  Yes (I could).
You could write to the Tourist Board.
  Alright.
No, I don't want to do that.

HELP ∗/∗∗

HELP ∗∗∗

Eich gwaith chi */**/***

Mae rhai o'r bobl eraill ar y fideo yn chwilio am wybodaeth am America a'r Dwyrain Pell. Rhaid i **chi** chwilio am wybodaeth am rai o wledydd Ewrop.

Mewn grŵp, penderfynwch pa fath o wybodaeth rydych chi eisiau.
Edrychwch eto ar y grid ar dudalen 101 am help.
Gwnewch grid ar gyfer y grŵp e.e.

Beth	Sut	Enw
Tywydd Ffrainc	Mynd i'r llyfrgell, edrych ar y Rhyngrwyd	Elen
Bwyd Ffrainc	Darllen llyfrau coginio, llyfrau am fwyd, mynd i'r llyfrgell	Siôn

Chwilio am wybodaeth */**/***

Edrychwch ar y fideo i weld sut mae rhai o'r bobl eraill yn chwilio am wybodaeth.
Beth maen nhw'n wneud?

● Siaradwch am hyn mewn grŵp.

Mynd i'r llyfrgell */**/***

pa fath o ...?	*what kind of ...?*
pethau fel …	*things like…*

Dw i eisiau gwybodaeth am Sbaen os gwelwch yn dda.	*I want information about Spain, please.*
Dych chi'n gallu helpu?	*Can you help?*
Ble mae'r llyfrau am Sbaen ?	*Where are the books about Spain?*
Yn yr adran teithio.	*In the travel section.*
Gyda'r llyfrau teithio.	*With the travel books.*

Dyma sut mae'r dyn ifanc ar y fideo yn gofyn am help gan y llyfrgellydd

HELP
*

Dyn:	Prynhawn da.
Llyfrgellydd:	Prynhawn da, ga i'ch helpu chi?
Dyn:	Dw i eisiau gwybodaeth am Japan a Korea.
Llyfrgellydd:	Pa fath o wybodaeth?
Dyn:	Pethau fel enw'r brifddinas, beth ydy'r arian, faint o bobl sy'n byw yno, oes bwyd a diod arbennig … pethau fel 'na.
Llyfrgellydd:	Bydd llyfrau teithio'n gallu helpu … a'r *encyclopaedia* hefyd.
Dyn:	Diolch.
Llyfrgellydd:	Trwy'r drws yn yr ystafell nesa'.
Dyn:	Diolch … diolch yn fawr.

Oes rhaid i chi fynd i'r llyfrgell?
Beth am baratoi beth dych chi'n mynd i ddweud cyn mynd?
Beth am ymarfer gyda'ch partner?

Dyma fwy o help i chi:

HELP
/*

Oes gennych chi fapiau?	*Do you have any maps?*
Oes gennych chi luniau?	*Do you have any pictures?*
Oes llyfrau ar Ffrainc gyda chi?	*Have you got any books on France?*
Oes.	*Yes.*
Ga i ddefnyddio'r Rhyngrwyd os gwelwch yn dda?	*May I use the Internet please?*

Chwarae rôl */**/***

Partner 1: Dych chi'n mynd i'r llyfrgell i ofyn am wybodaeth.

Partner 2: Dych chi'n llyfrgellydd. Ceisiwch helpu eich partner chi.

● Gwnewch hyn ddwywaith.   Rhaid i chi fod yn Bartner 1 unwaith.
Rhaid i chi fod yn Bartner 2 unwaith.

 **Ffonio** */**/***

siop deithio	*travel agency/travel shop*
amgáu	*to enclose*

cydweithiwr	*colleague*

John Jones sy yma, o ….
Dw i eisiau gwybodaeth am Ffrainc
  os gwelwch yn dda.

Dych chi'n gallu helpu?
Oes gennych chi lyfrau gwyliau am Ffrainc?

Wnewch chi anfon llyfr gwyliau ata i ?
  Wna i.
  Diolch.

It's John Jones (here), from …
I want information about France,
  please.

Can you help?
Do you have any holiday brochures
  about France?

Will you send me a holiday brochure?
  Yes (I will).
  Thank you.

Dw i'n gweithio i gwmni marchnata a dw i'n
  chwilio am wybodaeth am Ffrainc.

Oes gennych chi wybodaeth am Ffrainc?
Oes gwybodaeth gyda chi am Ffrainc?

Fasai'n bosibl i chi anfon gwybodaeth
  ata i, os gwelwch yn dda ?
Fasai'n bosibl i chi ffacsio'r wybodaeth
  ata i, os gwelwch yn dda ?
Basai. / Na fasai, mae'n ddrwg gen i.

I work for a marketing company and I'm
  looking for information about France.

Do you have information about France ?
Do you have information about France ?

Would it be possible for you to send me
  some information, please?
Would it be possible for you to fax me the
  information, please?
Yes (it would). / No (it wouldn't), I'm sorry.

TAFLEN 1

- Gwrandewch ar **Ddarn 1** ar y casét.
- Mae person ifanc yn ffonio *Holiday Plus*.
- Llenwch y ffurflen, **Taflen 1**.

 **Chwarae rôl** */**/***

Dych chi'n mynd i ffonio rhywun i gael gwybodaeth ar gyfer eich arddangosfa chi.
Beth am ymarfer gyda'ch partner?

Partner 1: Dych chi'n ffonio siop deithio i ofyn am wybodaeth.
Partner 2: Dych chi'n gweithio mewn siop deithio.
          Ceisiwch helpu eich partner chi.

TAFLENNI 2A a 2B

- Gwnewch hyn ddwywaith. Rhaid i chi fod yn Bartner 1 unwaith.
                           Rhaid i chi fod yn Bartner 2 unwaith.

Ysgrifennu llythyr*/**/***

Efallai bydd rhaid i chi ysgrifennu llythyr neu anfon ffacs i ofyn am wybodaeth.

● Meddyliwch am gwestiynau i ofyn mewn llythyr.

Beth ydy ... ?

Pwy ydy ... ?

Ble mae ... ?

Oes ... ?

Sut mae... ?

Pam mae... ?

Ydy... ?

Oes gennych chi... ?
Oes ... gyda chi... ?

● Ysgrifennwch y cwestiynau'n llawn yn eich llyfrau.

DAVIES A'I FAB

31 Y Stryd Fawr, Mynydd Mawr

26 Mai 2000

Mrs Jane Smith
3 Trem y Foel
Caerdydd

Annwyl Mrs Smith

Rydw i'n gweithio i Gwmni Marchnata Davies a'i Fab. Rydyn ni'n gwneud arddangosfa ar wledydd Ewrop ar gyfer gŵyl arbennig.

Rydych chi'n athrawes Ffrangeg, rydw i'n gwybod. Wnewch chi ateb rhai cwestiynau os gwelwch yn dda?

Beth mae pobl yn hoffi fwyta yn Ffrainc?
Beth mae pobl yn hoffi wneud yno dros y penwythnos?
Beth ydy arian Ffrainc?
Pa fath o waith sy yn Ffrainc?

Diolch am ateb y cwestiynau yma.

Yn gywir

Sam Jones

Sam Jones

DAVIES A'I FAB

31 Y Stryd Fawr, Mynydd Mawr

26 Mai 2000

Mrs Jane Smith
3 Trem y Foel
Caerdydd

Annwyl Mrs Smith

Rydw i'n gweithio i Gwmni Marchnata Davies a'i Fab.

Rydyn ni'n gweithio ar ŵyl arbennig ar hyn o bryd – mae llawer o gwmnïau o wledydd eraill yn dod i arddangos eu gwaith. Rydyn ni'n trefnu arddangosfa ar wledydd Ewrop yn yr ŵyl.

Rydych chi wedi bod yn byw yn Ffrainc, rydw i'n gwybod. Wnewch chi ateb rhai cwestiynau os gwelwch yn dda?

Ble roeddech chi'n byw yn Ffrainc?
Pam roeddech chi'n byw yno?
Beth roeddech chi'n wneud yn Ffrainc?
Oeddech chi'n hoffi byw yno? Pam?
Wnewch chi ddisgrifio'r profiad o fyw yn Ffrainc, os gwelwch yn dda?

Diolch am ateb y cwestiynau yma. Rydw i'n amgáu amlen ar gyfer eich ateb.

Yn gywir

Sam Jones

Sam Jones

- Ysgrifennwch lythyr at rywun yn gofyn cwestiynau am un o'r gwledydd.
- Defnyddiwch batrwm un o'r llythyrau yma os dych chi eisiau.

Gwneud casét neu fideo */**

Beth am ofyn cwestiynau i rywun, e.e. athro neu athrawes Ffrangeg neu Almaeneg?
- Gyda'ch partner, ysgrifennwch gwestiynau yn eich llyfr.
- Defnyddiwch y cwestiynau ar dudalen 108 os dych chi eisiau.
- Gofynnwch y cwestiynau yma i rywun arall.
Beth am recordio'r sgwrs ar gasét neu ar fideo?

HELP */**

Mae gennyn ni daflenni.	*We've got leaflets.*
Oes gennyn ni bosteri?	*Have we got any posters?*
Oes. / Nac oes.	* Yes. / No.*
Oes posteri gyda ni?	*Have we got any posters?*
Oes. / Nac oes.	* Yes. / No.*

Beth sy gennych chi? */**/***

TAFLEN 3

Pa fath o wybodaeth sy gennych chi ar gyfer yr arddangosfa?
- Siaradwch am hyn mewn grŵp.
- Gwnewch restr.

TAFLEN 4

Gwrandewch ar **Ddarn 2** ar y casét.
Mae pobl yn ffonio i gynnig mwy o bethau i chi.
Maen nhw'n gadael neges ar y peiriant ateb ffôn.
Llenwch y ffurflenni ateb ffôn, **Taflen 4**.

Mae peth o'r wybodaeth dych chi wedi ffeindio
yn gallu mynd i'r arddangosfa yn syth e.e.
posteri, taflenni, llyfrau, fideos ac ati.

Ond bydd rhaid i chi <u>wneud</u> rhai pethau
newydd ar gyfer yr arddangosfa hefyd.
Bydd rhaid i chi <u>ddefnyddio</u> peth o'r wybodaeth
dych chi wedi ffeindio.
e.e. defnyddio nodiadau dych chi wedi gwneud
er mwyn:
- gwneud posteri newydd;
- ysgrifennu am rywun enwog o'r wlad;
- ysgrifennu am fywyd yn y wlad, e.e.
  bwyd, dillad, tywydd, gwaith, busnes.

Beth am ysgrifennu am y tywydd? — *What about writing about the weather?*
Beth am ysgrifennu am y bwyd? — *What about writing about the food?*
  Syniad da. — *Good idea.*
  Na, dw i ddim yn meddwl. — *No, I don't think so.*

Wyt ti eisiau gwneud map? — *Do you want to draw a map?*
  Ydw. / Nac ydw. — *Yes. / No.*

Dw i eisiau tynnu lluniau. — *I want to draw / take some pictures.*
Dw i eisiau ysgrifennu am y bwyd. — *I want to write about the food.*

Gallen ni ysgrifennu disgrifiad — *We could write a description of*
  o berson enwog. — *a famous person.*

Gallen ni ysgrifennu am — *We could write about the*
  ddiwydiannau'r wlad. — *country's industries.*

Syniad da achos … — *Good idea, because …*
… mae'n ddiddorol. — *… it's interesting.*
… mae pobl yn hoffi darllen am … — *… people like reading about …*
… mae'n bosib gwneud llawer — *… it's possible to draw lots of diagrams.*
  o ddiagramau.
Na, dw i ddim yn meddwl, achos … — *No, I don't think so, because …*
… mae'n anniddorol. — *… it's uninteresting.*
… mae'n ddiflas. — *… it's boring.*
… dydy pobl ddim eisiau darllen am … — *… people don't want to read about …*

Wnei di ysgrifennu am berson enwog? — *Will you write about a famous person?*
Wnei di dynnu lluniau? — *Will you draw / take pictures?*
  Wna i. / Na 'wna. — *Yes. / No.*

Beth arall dych chi eisiau ar gyfer yr arddangosfa?
●   Siaradwch am hyn ac ysgrifennwch eich syniadau mewn grid fel yr un yma – Colofn 1.
●   Ysgrifennwch pwy sy'n mynd i wneud beth - Colofn 2.

BETH	PWY

PARATOI GWYBODAETH

meddalwedd	*software*	bywyd bob dydd	*everyday life*
mynyddoedd	*mountains*	adroddiad	*report*
afonydd	*rivers*	agwedd	*aspect*
baner	*flag*	diwydiannau	*industries*
cynnwys	*to include*	traddodiadau	*traditions*
ystadegau	*statistics*		

Gwneud map *

- Gnewch fap o'r wlad; neu beth am ddefnyddio map ar feddalwedd eich cyfrifiadur?
  Beth dych chi'n mynd i ddangos ar y map?
  - y prif ddinasoedd?
  - y mynyddoedd a'r afonydd?
  - baner y wlad?

TAFLENNI 5A - 5B

Bywyd yn y wlad */**

- Ysgrifennwch baragraff neu ddau am fywyd bob dydd yn y wlad, e.e. bwyd, dillad, y tywydd.
- Beth am gynnwys:
  - lluniau;
  - disgrifiadau;
  - diagramau/graffiau;
  - ystadegau.

TAFLEN 6

Ysgrifennu adroddiad ***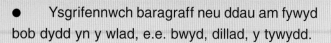

- Ysgrifennwch adroddiad ar un agwedd arbennig ar y wlad, e.e. diwydiant, traddodiadau, twristiaeth.

TAFLEN 7

GOSOD YR ARDDANGOSFA

trefnu	*to arrange*	offer	*equipment*
cynllun	*plan*	adnoddau	*resources*

👁 👥👥 Trefnu'r arddangosfa */**/***

Ar ôl cael popeth, rhaid trefnu'r arddangosfa.

● Gwyliwch y fideo i weld sut mae'r bobl ifanc yn gwneud hyn.

Dyma gynllun o'r ystafelloedd.

YSTAFELL A
YSTAFELL B
YSTAFELL C

Beth sy ym mhob ystafell?

Beth fydd yn digwydd yn yr ystafelloedd?

● Siaradwch am hyn.

Offer */**/***

Mae Malcolm Rogers yn ffonio i ddweud pa offer mae o eisiau ar gyfer yr arddangosfa.

- Gwrandewch ar **Ddarn 3** ar y casét.
- Gwnewch restr o beth mae o eisiau.

- Ysgrifennwch Memo at yr adran adnoddau'n dweud pa offer mae Malcolm eisiau.

Pa offer dych chi eisiau? */**/***

Pa fath o offer dych chi eisiau i ddangos eich gwybodaeth chi?

- Siaradwch am hyn mewn grŵp.
- Gwnewch restr o beth dych chi eisiau.

- Ffoniwch yr adran adnoddau (eich partner chi) i ddweud beth dych chi eisiau.

neu

- Ysgrifennwch Memo at yr adran adnoddau'n dweud beth dych chi eisiau.

Wel, mae gennych chi'r wybodaeth.
Mae gennych chi'r offer.
Mae gennych chi'r ystafell.

Gosodwch yr arddangosfa.

Pob hwyl gyda'r gwaith!

Yn yr aseiniad yma:

Dw i wedi siarad mewn grŵp.

Dw i wedi siarad â phartner.

Dw i wedi ysgrifennu llythyr.

Dw i wedi ysgrifennu Memo.

Dw i wedi ffonio.

Dw i wedi cymryd neges.

Dw i wedi rhoi neges.

Dw i wedi defnyddio cyfrifiadur.

Dw i wedi casglu gwybodaeth.

Dw i wedi trefnu gwybodaeth.

Dw i wedi gosod arddangosfa

Dw i wedi gwneud poster.

Dw i wedi ysgrifennu disgrifiad.

Dw i wedi ysgrifennu adroddiad.

blwyddyn allan	a year out /
blwyddyn ma's	a gap year
blwyddyn i ffwrdd	
derbynnydd	receptionist
sgiliau	skills
profiad	experience
defnyddiol	useful

Aseiniad 6

Rydych chi'n mynd i edrych ar y posibilrwydd o gymryd **blwyddyn allan** lle byddwch chi'n gallu defnyddio Cymraeg.

Bydd y gwaith yma'n ddefnyddiol i chi os ydych chi'n meddwl cymryd blwyddyn allan.
Ond bydd y gwaith yn ddefnyddiol mewn llawer o swyddi hefyd, e.e.
- gweithio fel derbynnydd;
- gweithio fel swyddog gyrfaoedd;
- gweithio gyda phlant a phobl ifanc;
- dysgu Cymraeg i bobl eraill.

CHI'N MYND I WNEUD?

HELP
*

| hyfforddiant | *training* | gadael | *to leave* |
| prentisiaeth fodern | *modern apprenticeship* | manylion | *details* |

Rydw i eisiau mynd i'r coleg.
Rydw i eisiau cymryd blwyddyn allan …
    … achos rydw i eisiau teithio.
Rydw i eisiau mynd i weithio mewn canolfan hamdden …
    …achos rydw i'n hoffi chwaraeon.

I want to go to college.
I want to take a year out …
    … because I want to travel.
I want to work in a leisure centre …
    … because I like sport.

Hoffwn i fynd i'r coleg …
    … achos hoffwn i wneud cwrs busnes.
Hoffwn i gymryd blwyddyn allan …
    … achos hoffwn i weld y byd.
Hoffwn i weithio mewn canolfan hamdden …
    … achos mae'n ddiddorol ac rydw
    i'n hoffi chwaraeon.

I would like to go to college …
    … because I would like to do a business course.
I would like to take a year out …
    … because I would like to see the world.
I would like to work in a leisure centre …
    … because it's interesting and I like sport.

HELP
/*

119

Beth rydych chi'n mynd i wneud? */**/***

MYND I'R COLEG

CAEL HYFFORDDIANT

GWNEUD CWRS B.T.E.C.

GWNEUD CWRS N.N.E.B.

MYND I WEITHIO

CAEL PRENTISIAETH FODERN

CYMRYD BLWYDDYN ALLAN

MYND I'R BRIFYSGOL

Beth rydych chi eisiau wneud ar ôl gadael yr ysgol?

Ydych chi eisiau mynd i'r coleg?

Ydych chi eisiau mynd i weithio?

Ydych chi eisiau gwneud rhywbeth arall?

● Ysgrifennwch eich syniadau ar **Daflen 1**.

TAFLEN 1

Beth am bobl eraill yn y grŵp?
Beth maen nhw eisiau wneud?

- Gwnewch holiadur i weld beth mae pobl eraill yn y grŵp eisiau wneud ar ôl gadael yr ysgol.
- Ceisiwch gael llawer o fanylion e.e.
  Os ydyn nhw eisiau mynd i'r coleg:
  - ble?
  - pam?**/***
  - beth maen nhw eisiau wneud yno? ac ati.
  Os ydyn nhw eisiau mynd i weithio:
  - ble?
  - pam?**/***
  - beth maen nhw eisiau wneud? ac ati.

Os dydyn nhw ddim yn gwybod, gofynnwch:
- pa bynciau maen nhw'n hoffi yn yr ysgol;
- beth maen nhw'n hoffi wneud tu allan i'r ysgol;
- pa fath o brofiad gwaith sy gyda nhw;
- beth dydyn nhw ddim eisiau wneud; ac ati.

Yna, defnyddiwch yr holiadur gyda'r grŵp.

  Gwneud graff */**/***

Beth mae pobl yn y dosbarth eisiau wneud?
Beth am wneud graff?
- Dangoswch:
  faint sy eisiau mynd i'r coleg;
  faint sy eisiau mynd i weithio;
  faint sy eisiau gwneud rhywbeth arall – beth.

BLWYDDYN ALLAN

oddi cartre	*away from home*	talu	*to pay*
teithio	*to travel*	gwirfoddol	*voluntary*
o gwmpas y byd	*around the world*	swydd, swyddi	*job, jobs*
gwlad, gwledydd	*country, countries*	tramor	*abroad*

Blwyddyn allan */**/***

Mae rhai pobl ifanc yn penderfynu cymryd blwyddyn allan.
Ond beth ydy "blwyddyn allan"?

BLWYDDYN ALLAN

Mae rhai pobl ifanc yn mynd i weithio oddi cartre.
Mae rhai pobl ifanc yn mynd i weithio dramor - ond dim ond am flwyddyn.
Mae rhai pobl ifanc yn teithio llawer, e.e. o gwmpas y byd.
Maen nhw'n gweithio mewn gwahanol wledydd i dalu am y daith.
Mae rhai pobl ifanc yn gwneud gwaith gwirfoddol.

- Ar y fideo mae tri pherson ifanc eisiau mynd i weithio dramor.
  Maen nhw eisiau teithio. Maen nhw eisiau siarad Cymraeg hefyd.
  - Pwy ydyn nhw?
  - Ble maen nhw'n byw?
  - I ble maen nhw wedi bod ar brofiad gwaith?
- Gwyliwch y fideo.
- Llenwch y ffurflen neu'r CV ar gyfer pob person, **Taflen 2** neu **Taflen 3**.

TAFLEN 2   **TAFLEN 3**

SESIWN SYNIADAU
Gwrandewch ar syniadau pobl eraill yn y dosbarth.

Pa swydd? */**/***

Basai Rhys yn hoffi gweithio mewn canolfan hamdden.	Rhys would like to work in a leisure centre.
Basai Eluned yn hoffi gweithio mewn ysgol.	Eluned would like to work in a school.
Basai Mari yn hoffi gweithio i gwmni teithio.	Mari would like to work for a travel agent.

HELP **/***

Basai Rhys yn hoffi bod yn golffiwr…	Rhys would like to be a golfer…
Basai Eluned yn hoffi bod yn athrawes …	Eluned would like to be a teacher …
Basai Mari yn hoffi bod yn drefnydd teithiau…	Mari would like to be a travel agent …
… achos…	… because ...
… mae e'n hoffi chwaraeon.	… he likes sport.
… mae hi wrth ei bodd gyda phlant.	… she loves children.
… mae hi'n mwynhau teithio.	… she enjoys travelling.
… basai e'n hoffi chwarae golff trwy'r dydd.	… he'd like to play golf all day.
… basai hi wrth ei bodd yn dysgu plant.	… she'd love teaching children.
… basai hi'n mwynhau teithio.	… she'd enjoy travelling.

- Pa fath o swyddi basai Rhys, Eluned a Mari'n hoffi, ydych chi'n meddwl? Pam? **/***
- Siaradwch am hyn mewn grŵp.
- Ysgrifennwch eich syniadau mewn grid fel yr un yma:

	Swyddi	Pam**/***
Rhys	1. Basai e'n hoffi gweithio mewn canolfan chwaraeon 2.	achos mae e'n hoffi chwarae golff a hwylio.
Eluned		
Mari		

SESIWN SYNIADAU
Gwrandewch ar syniadau pobl eraill yn y dosbarth.

HYSBYSEBION

hysbysebion	*advertisements*	ymgeisio am	*to apply for*

Rydych chi'n gweld y geiriau yma yn aml mewn hysbysebion.

yn eisiau	*wanted*	oriau gwaith	*hours of work*
dymunol	*desirable*	cyflog	*salary*
hanfodol	*essential*	i'w drafod	*to be discussed*
brwdfrydig	*enthusiastic*	ffurflen gais	*application form*
brwdfrydedd	*enthusiasm*	llythyr cais	*letter of application*
angen	*need*	manylion	*details*
profiad	*experience*	cysylltwch â	*contact*

Pa swydd? Pa berson? */**/***

Mae'r tri pherson ifanc yn gweld yr hysbysebion yma yn y papur newydd.

● Darllenwch yr hysbysebion.

YDYCH CHI EISIAU BOD YN
ATHRO NEU'N ATHRAWES?
YDYCH CHI EISIAU GWELD Y BYD?
YDYCH CHI'N GALLU SIARAD CYMRAEG?

Beth am helpu mewn ysgol Gymraeg - tu allan i Gymru?
Mae ysgol Gymraeg ym Mhatagonia eisiau pobl ifanc sy'n gallu siarad Cymraeg i helpu yn yr ysgol.
Does dim angen profiad - dim ond brwdfrydedd a gwaith caled!
Cysylltwch â: Siôn Bevan (01352 890556).

YDYCH CHI EISIAU BYW YN

America

AM FLWYDDYN?
YDYCH CHI EISIAU GWEITHIO MEWN
PARC HAMDDEN ARBENNIG IAWN?

 Rydyn ni eisiau pobl ifanc o Gymru i weithio yn ein parc hamdden yn America.

Y gwaith: Croesawu ymwelwyr; siarad am Gymru.

Mae'r gallu i siarad Cymraeg yn ddymunol ond ddim yn hanfodol.

Cysylltwch â: Mr Ron Evans (Ffôn: 01222 965422)

YN EISIAU
AU PAIR

i edrych ar ôl tri o blant - 3, 6 a 10 oed
ac i wneud ychydig o waith tŷ.
Mae'r teulu Cymraeg yma'n mynd i fyw yn
Sydney am flwyddyn. Rydyn ni eisiau *au pair* sy'n
siarad Cymraeg i ddod i fyw gyda ni yn Awstralia.
Oriau gwaith: 8.00 tan 18.00.
Dim gwaith dros y penwythnos.
6 wythnos o wyliau. Cyflog i'w drafod.

Cysylltwch â: Dr Dafydd Meredydd neu
Dr Siân Meredydd, Llys Blodwena,
Heol y Mynydd Mawr, Bangor, Gwynedd.

Mae Rhys, Eluned a Mari'n ymgeisio am swydd.

Ond pa swydd sy'n addas i Rhys, Eluned a Mari?

Pam?**/***

- Siaradwch am hyn mewn grŵp.
- Darllenwch y ffurflen neu'r CV unwaith eto i'ch helpu chi, os ydych chi eisiau.
- Gwyliwch y fideo eto, os ydych chi eisiau.

- Ysgrifennwch eich syniadau mewn grid fel yr un yma.

	Swyddi	**Pam**/***
Rhys	*Basai e'n hoffi …*	*achos mae e'n …*
Eluned		
Mari		

SESIWN SYNIADAU
Gwrandewch ar syniadau pobl eraill yn y grŵp.

Pwy? Beth? */**/***

croesawu	*to welcome*	am byth	*for ever*
digon o amser	*plenty of time*	paith	*pampas*
profiad gwych	*a great experience*	sy'n addas	*is suitable*

Ydych chi wedi dewis yn iawn, tybed?
Ar y fideo mae'r bobl ifanc yn siarad am eu blwyddyn allan – yn gwneud y swyddi yma.

TAFLEN 4 **TAFLEN 5**

● Gwyliwch y fideo.
● Llenwch y grid ar **Daflen 4**.

SESIWN SYNIADAU
Gwrandewch ar syniadau pobl eraill yn y grŵp.

 Ysgrifennu manyleb swydd */**

● Ysgrifennwch fanyleb swydd
(*job specification*) am un o'r swyddi yma.
Mae manyleb swydd yn disgrifio:
● beth mae rhaid i weithiwr wneud.
● pa fath o berson sy'n addas.
Defnyddiwch **Daflen 6**.

TAFLEN 6

Profiad gwych? **/***

Oedd popeth am y flwyddyn allan yn wych?

● Siaradwch am hyn mewn grŵp.

● Gwyliwch y fideo eto, os ydych chi eisiau, er mwyn cael y wybodaeth.

● Ysgrifennwch eich syniadau mewn grid fel yr un yma:

	Profiad da	Problemau
Rhys		
Eluned		
Mari		

SESIWN SYNIADAU

Gwrandewch ar syniadau pobl eraill yn y grŵp.

Ysgrifennu adroddiad **/***

HELP
/*

Roedd … yn gweithio mewn …
Roedd rhaid iddo fe siarad am Gymru.
Roedd rhaid iddi hi ddysgu'r plant i siarad Cymraeg.
Roedd rhaid iddi hi edrych ar ôl y plant.

Unwaith, trefnodd hi eisteddfod.
Unwaith, aeth hi ar ei gwyliau gyda'r teulu.

Doedd hi ddim yn hapus trwy'r amser achos …
　… roedd popeth yn ddrud.
　… roedd hiraeth arni hi.

… worked in a ….
He had to speak about Wales.
She had to teach the children to speak Welsh.
She had to look after the children.

On one occasion she organised an eisteddfod.
On one occasion she went on holiday with the family.

She wasn't happy all the time because …
*　… everything was expensive.*
*　… she was homesick.*

Ysgrifennwch adroddiad ar brofiad un o'r bobl yma.

● Defnyddiwch y wybodaeth sy gyda chi yn eich grid.

● Cofiwch ddweud beth oedd barn y bobl ifanc.

UT MAE CAEL BLWYDDYN ALLAN

yn gyffredinol	*generally*	paratoi	*to prepare*
cyfle	*opportunity*	asiantaeth	*agency*
cais	*application*	achos da	*good cause, charity*

Rydych chi wedi cael hanes tri pherson ifanc sy wedi cael blwyddyn allan.
Ond sut mae cael blwyddyn allan?

Chwilio am wybodaeth - yn gyffredinol

▼

Chwilio am fwy o wybodaeth - am gyfle neu swydd neu wlad arbennig

▼

Gwneud cais - ffurflen neu lythyr neu CV

▼

Paratoi'n dda

Chwilio am wybodaeth */**/***

Darllen hysbysebion mewn papurau newydd

Gofyn i rywun sy'n gwybod

Defnyddio asiantaeth dda

Mynd i'r llyfrgell - mae llawer o lyfrau am gymryd blwyddyn allan

Ffonio neu ysgrifennu at achos da

Edrych ar y Rhyngrwyd

Chwilio am fwy o wybodaeth */**/***

- Ar ôl ffeindio swydd neu gyfle arbennig, mae'n bwysig chwilio am fwy o wybodaeth.
  Rhaid cael gwybodaeth am y swydd ac am y wlad.
  Rhaid cael gwybodaeth am y pethau da ac am y problemau.
  Sut?

Gofyn i rywun sy'n gwybod

Gofyn i'r asiantaeth am fwy o wybodaeth

Mynd i'r llyfrgell - darllen y llyfrau'n fanwl

Gofyn i'r achos da am fwy o wybodaeth

Edrych ar y Rhyngrwyd am fwy o wybodaeth am y wlad

- Beth am chwilio am syniadau am flwyddyn allan?
- Cofiwch chwilio am lawer o wybodaeth.

- Mewn grŵp, siaradwch am beth rydych chi wedi ffeindio.

SESIWN SYNIADAU
Gwrandewch ar syniadau pobl eraill yn y dosbarth.

| gwneud cais | *to make an application* |

 # Gwneud cais am flwyddyn allan */**/***

Rydych chi'n mynd i wneud cais am flwyddyn allan. Defnyddiwch y swydd neu'r cyfle rydych chi wedi ffeindio, neu un o'r hysbysebion ar dudalennau 124-5.

Ysgrifennu CV */**/***

- Ysgrifennwch CV gyda'ch manylion personol chi.
- Darllenwch **Daflen 3** eto er mwyn gweld y fformat.

Ysgrifennu llythyr cais */**/***

- Ysgrifennwch lythyr cais am flwyddyn allan.
- Cofiwch ddweud:
  - pwy ydych chi, e.e. beth rydych chi'n wneud nawr, eich oed chi;
  - manylion am yr arholiadau rydych chi wedi sefyll;
  - eich profiad gwaith chi;
  - eich diddordebau chi;
  - pam rydych chi eisiau blwyddyn allan.

- Cofiwch osod y llythyr allan yn gywir.

tramor	*abroad*	trefnu	*to arrange*
cam	*step*	yswiriant	*insurance*
paratoi	*to prepare*	pigiadau	*injections*
pethau	*things*	trwydded gwaith	*work permit*
		diogelwch	*safety*

 ## Paratoi */**/***

Mae mynd i weithio dramor yn gam mawr
– yn gam mawr iawn!
Rhaid i chi baratoi'n ofalus iawn.
Os ydych chi'n mynd dramor, rhaid i chi drefnu llawer o bethau, e.e.

- pasport;
- yswiriant;
- fisa, efallai;
- trwydded gwaith, efallai;
- pigiadau, efallai;
- arian.

Rhaid i chi feddwl am eich diogelwch eich hun hefyd.

  ## Pasport */**/***

- Gwrandewch ar **Ddarn 1** ar y casét.
- Mae person ifanc yn ffonio llinell gymorth Gymraeg.
- Mae hi'n gofyn am ffurflenni ar gyfer gwneud cais am basport.
- Rhaid i'r person sy'n ateb y ffôn ysgrifennu'r manylion ar ffurflen arbennig.
- Llenwch y ffurflen.

TAFLEN 7

GWEITHIO DRAMOR

dibynnu	*to depend*	digwyddiadau Cymreig	*Welsh events*
gwaith gwirfoddol	*voluntary work*	trefnu	*to organise*

Gweithio dramor */**/***

Beth mae pobl ifanc yn wneud yn ystod blwyddyn allan?
Mae'n dibynnu ar ble maen nhw.
Mae'n dibynnu ar beth maen nhw wedi ddewis.

Mae rhai pobl ifanc yn casglu ffrwythau.
Mae rhai pobl ifanc yn gweithio ar ffermydd.
Mae rhai pobl ifanc yn helpu ar brosiectau arbennig.
Mae rhai pobl ifanc yn gwneud gwaith gwirfoddol.

Beth oedd rhaid i Rhys, Eluned a Mari wneud?
Ydych chi'n cofio?

Rhys: Roedd Rhys yn gweithio mewn parc hamdden.
Roedd e'n siarad am Gymru, roedd e'n gwerthu pethau.
Roedd e'n trefnu digwyddiadau Cymreig.

Eluned: Roedd Eluned yn dysgu Cymraeg ym Mhatagonia.
Roedd hi'n trefnu digwyddiadau.
Roedd hi'n trefnu digwyddiadau Cymreig.

Mari: Roedd hi'n gweithio fel *au pair* yn Sydney
Roedd hi'n helpu'r teulu.
Roedd hi'n gwarchod y plant.

Nawr, rydych chi'n mynd i wneud un o'r swyddi yma.
- Dewiswch un o'r swyddi.
  Os ydych chi eisiau gwneud swydd **Rhys**, ewch i dudalen 135.
  Os ydych chi eisiau gwneud swydd **Eluned**, ewch i dudalen 139.
  Os ydych chi eisiau gwneud swydd **Mari**, ewch i dudalen 141.

SWYDD RHYS

croesawu	*to welcome*	swyddog	*official*	debyg	*similar*

Bore/Prynhawn da. — *Good morning/afternoon.*
Croeso. — *Welcome.*
Ydych chi'n siarad Cymraeg? — *Do you speak Welsh?*
  Ydw./Tipyn bach. — *Yes./A little.*
Ydych chi ar eich gwyliau yma? — *Are you on holiday here?*
Ydych chi'n mwynhau? — *Are you having a good time?*
  Ydw. Mae'n wych! — *Yes. It's great!*
O ble rydych chi'n dod? — *Where do you come from?*
  O … — *From …*

HELP
*

HELP
/*

Ydych chi'n aros mewn gwesty? — *Are you staying in a hotel?*
Am faint rydych chi'n aros? — *How long are you staying?*
  Am wythnos. — *For a week.*
  Am bythefnos. — *For a fortnight.*
  Am dair wythnos. — *For three weeks.*
Ydych chi wedi gweld yr arddangosfa? — *Have you seen the exhibition?*
  Ydw, mae'n ardderchog. — *Yes, it's excellent.*
Ydych chi'n cael amser da? — *Are you having a good time?*
  Ydyn, mae popeth yn wych. — *Yes (we are), everything is great.*

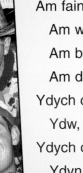

Roedd rhaid i Rhys groesawu pobl i'r Ganolfan.

Croesawu pobl */**/***

Chwarae Rôl */**/***

Partner 1:
- Rydych chi'n gweithio mewn Canolfan debyg.

  Mae rhywun o Gymru (eich partner chi) yn dod i mewn.

  Croesawch y person a gofynnwch am y gwyliau.

Partner 2:
- Rydych chi'n mynd i mewn i'r Ganolfan Gymreig yn y parc hamdden. Mae'r swyddog Cymreig (eich partner chi) yn dod i siarad â chi am y gwyliau.

  Atebwch gwestiynau'r swyddog. Gofynnwch gwestiynau am y parc.

Gwnewch hyn ddwywaith.   Rhaid i chi fod yn swyddog unwaith.

Rhaid i chi fod yn ymwelydd unwaith.

Digwyddiadau Cymreig */**/***

Dydd Gŵyl Dewi	*St. David's Day*	dathlu	*to celebrate*
digwyddiad	*event*	dathliad	*celebration*
digwyddiadau	*events*	trefnu	*to organise*
trafod	*to discuss*		

HELP

*****

Mae'r dawnsio gwerin yn syniad da …

   … achos …

   … mae'n ddiddorol.

   … mae'n hwyl.

   … mae pawb yn hoffi dawnsio.

Dydy'r dawnsio gwerin ddim yn syniad da …

   … achos …

   … mae'n ddiflas.

   … mae'n hen-ffasiwn.

   … does neb yn hoffi dawnsio.

The folk dancing is a good idea ...

   … because …

   … it's interesting.

   … it's fun.

   … everyone likes dancing.

The folk dancing isn't a good idea ...

   … because …

   … it's boring.

   … it's old-fashioned.

   … no-one likes dancing.

HELP

/*

Rydw i'n meddwl bod y dawnsio'n syniad da …

   … achos …

   … mae'n Gymreig.

   … mae'n ddiddorol.

Dydw i ddim yn meddwl bod y peintio
wynebau'n syniad da …

   … achos …

   … mae'n frwnt / fudr.

   … dydy pobl ddim yn hoffi pethau fel 'na.

I think that the dancing is a good idea ...

   … because …

   … it's Welsh.

   … it's interesting.

*I don't think that the face painting is/was
a good idea ...*

   … because …

   … it's dirty.

   … people don't like that sort of thing.

Roedd Rhys yn trefnu digwyddiadau arbennig hefyd, fel dathlu Dydd Gŵyl Dewi.

● Darllenwch **Daflen 8** i weld beth drefnodd e unwaith.

Beth rydych chi'n feddwl o ddathliad Rhys?

● Ysgrifennwch eich syniadau yn y grid, **Taflen 8**.

SESIWN SYNIADAU

Gwrandewch ar syniadau pobl eraill yn y dosbarth.

TAFLEN 8

Eich tro chi */**/***

Mae'n Ddydd Gŵyl Dewi.

Rhaid i chi helpu i drefnu digwyddiad arbennig. Mae'ch pennaeth chi, Bethan Phillips, yn ffonio i drefnu cyfarfod i drafod y digwyddiad. Mae hi'n gadael neges ar y peiriant ateb.

- Gwrandewch ar y neges, **Darn 2** ar y casét.

- Gwnewch nodyn o'r neges, **Taflen 9**.

- Rhowch y neges i Paul White neu Julie Drake (eich partner chi).

TAFLEN 9

Sut rydych chi'n mynd i ddathlu? **/***

Sut rydych chi'n mynd i ddathlu Dydd Gŵyl Dewi yn eich Canolfan chi?

- Mewn grŵp, siaradwch am sut rydych chi'n mynd i ddathlu.

- Dewiswch y syniad gorau.

- Ysgrifennwch Memo am eich dathliad.

- Dwedwch:
  - beth sy'n digwydd;
  - pryd mae'n digwydd;
  - ble mae'n digwydd;
  - unrhyw wybodaeth arall.

TAFLEN 10

SESIWN SYNIADAU

Gwrandewch ar syniadau pobl eraill yn y dosbarth.

HELP
*****

Beth am ddysgu am ... ?	*What about teaching about ... ?*
... y tywydd.	*... the weather.*
... y teulu.	*... the family.*
... ddiddordebau.	*... interests.*
Dw i eisiau dysgu ...	*I want to teach ...*
... sut i ddweud yr amser.	*... how to tell the time.*
... sut i ofyn am bethau.	*... how to ask for things.*
Beth rwyt ti'n feddwl?	*What do you think?*
Wyt ti'n cytuno?	*Do you agree?*
Ydw. / Nac ydw.	*Yes ./ No.*

HELP
/*

Hoffwn i ddysgu ...	*I would like to teach ...*
... sut i ddweud yr amser.	*... how to tell the time.*
... sut i ofyn am bethau.	*... how to ask for things.*
Gallen ni ddysgu am arian.	*We could teach about money.*
Syniad da achos...	*Good idea, because ...*
... mae pawb eisiau gwybod sut i ...	*... everyone wants to know how to ...*
... mae hwnna'n ddefnyddiol iawn.	*... that's very useful.*
Na, dydw i ddim yn meddwl, achos ...	*No, I don't think so, because ...*
... mae'n rhy gymhleth.	*... it's too complicated.*
... mae'n rhy anodd.	*... it's too difficult.*
... does neb eisiau gwybod sut i ...	*... no-one wants to know how to ...*

Roedd Eluned yn dysgu Cymraeg ym Mhatagonia. Nawr, rhaid i chi ddysgu gwers Gymraeg i blant neu i oedolion.

Paratoi gwers */**/***

Yn gyntaf, rhaid i chi baratoi'r wers.
Beth rydych chi'n mynd i ddysgu?
- Siaradwch am hyn mewn grŵp.
- Ysgrifennwch eich syniadau yn eich llyfrau.
- Dewiswch y syniad gorau.

Yna, rhaid i chi ysgrifennu rhestr o eitemau iaith, e.e.

Os ydych chi'n dysgu'r amser:

Mae hi'n un o'r gloch.

Mae hi'n ddau o'r gloch.

Mae hi'n dri o'r gloch.

neu

Os ydych chi'n dysgu sut i ofyn am bethau:

Rydw i eisiau afalau os gwelwch yn dda.

Rydw i eisiau bananas os gwelwch yn dda.

Rydw i eisiau tomatos os gwelwch yn dda.

Pethau i helpu */**/***

- Rhaid i chi baratoi pethau i helpu gyda'r wers, e.e. poster, cardiau fflach, casét ac ati.

Cardiau fflach neu boster *

- Gwnewch gardiau fflach yn dangos y geiriau pwysig,
  neu
- Gwnewch boster i'ch helpu chi yn y wers.

Casét neu fideo **/***

Beth am wneud casét neu fideo i'ch helpu chi?

- Ysgrifennwch sgript.
- Recordiwch y sgript ar gasét neu ar fideo.

Byddwch chi'n gallu defnyddio'r casét neu'r fideo yn y wers.

TAFLEN 11

Barod? */**/***

Ydy popeth yn barod?

Beth am ymarfer gyda rhai o'ch dosbarth chi?

SWYDD MARI

Beth ydy oed y plant?	How old are the children?
Pump oed.	Five (years old).
Beth ydy diddordebau'r plant?	What are the children's interests?
Maen nhw'n hoffi ...	They like ...
Rhaid i ni gael ...	We must have ...
... stori fer.	... a short story.
... stori dda.	... a good story.
... stori ddiddorol.	... an interesting story.
Beth am gael stori am ...?	What about having a story about ... ?
... anifeiliaid.	... animals.
Syniad da.	Good idea.
Na, dydw i ddim yn meddwl.	No, I don't think so.

Rhaid i ni gael ...	We must have ...
Gallen ni gael ... / Basen ni'n gallu cael ...	We could have ...
... stori ddoniol.	... a funny story.
... stori gyffrous.	... an exciting story.
... stori antur.	... an adventure story.
... stori fer.	... a short story.
... stori arswyd.	... a horror story.
... achos ...	... because ...
... mae plant yn hoffi storïau arswyd.	... children like horror stories.
... basen nhw'n hoffi stori ddoniol.	... they'd like a funny story.
Rydw i'n cytuno, achos mae plant yn hoffi storïau antur.	I agree, because children like adventure stories.
Dydw i ddim yn cytuno, achos dydy plant ddim yn hoffi storïau arswyd.	I don't agree, because children don't like horror stories.

  Dweud stori Gymraeg */**/***

Roedd Mari'n edrych ar ôl y plant. Weithiau roedd hi'n darllen stori iddyn nhw. Ar **Ddarn 3** ar y casét, rydych chi'n gallu clywed Mari'n ffonio adre i ofyn am lyfrau Cymraeg.
Pa fath o lyfrau mae hi eisiau?

● Gwrandewch ar **Ddarn 3** ar y casét.
● Llenwch grid fel yr un ar y tudalen nesaf.

Sawl llyfr:	
Oed y plant:**/***	
Pa fath o lyfrau mae hi eisiau:	
Beth rydych chi'n feddwl o ddewis Mari? Pam? **/***	

Eich tro chi */**/***

addas	*suitable*

Rhaid i chi ddweud stori Gymraeg wrth blant.

- Yn gyntaf rhaid i chi benderfynu pa fath o stori. Rhaid i chi wneud yn siwr fod y stori'n addas.
- Siaradwch am hyn mewn grŵp.
- Ysgrifennwch eich syniadau mewn grid fel yr un ar y tudalen nesaf.
- Ysgrifennwch pa fath o stori, neu deitl llyfr, yn **Colofn 1.**
- Ticiwch **Colofn 2** neu **Colofn 3** i ddangos ydy'r stori neu'r llyfr yn addas.
- Dwedwch pam.**/***

Math o lyfr / Teitl llyfr	Syniad da - pam**/***	Syniad gwael - pam**/***
Stori antur	✔ Mae plant yn hoffi stori antur am blant eraill.**/***	
Stori arswyd		✔ Basai'r plant yn ofni.**/***
Stori am ...		

● Pa fath o stori rydych chi wedi dewis?

Rydyn ni wedi dewis stori ....

achos (**/***) ....

SESIWN SYNIADAU
Gwrandewch ar syniadau pobl eraill yn y dosbarth.

Chwilio am stori */**/***

O ble rydych chi'n mynd i gael stori?
● Siaradwch am hyn mewn grŵp.
● Dewch â'r stori Gymraeg i'r wers nesaf.

Paratoi */**/***

Rhaid i bawb yn y grŵp ddarllen rhan o'r stori.

● Penderfynwch pwy sy'n mynd i ddarllen beth.
● Ysgrifennwch eich penderfyniadau yn eich llyfrau ysgrifennu.

Mae .... yn mynd i ddarllen tudalennau .... ac mae .... yn mynd i ddarllen tudalennau ....

● Bydd rhaid i chi siarad am y lluniau hefyd.
● Yn eich llyfrau ysgrifennu, ysgrifennwch syniadau i'ch helpu chi, e.e.

Dyma …
Ydych chi'n gallu gweld …? Mae e'n …

● Bydd rhaid i chi ofyn cwestiynau i'r plant.
● Yn eich llyfrau ysgrifennu, ysgrifennwch gwestiynau i'ch helpu chi, e.e.

Ydych chi'n hoffi …?
Oes … gyda chi ?
Ydych chi wedi …?

Cyn darllen y stori i'r plant:
● Rhaid i chi ymarfer darllen y stori yn uchel.
● Rhaid i chi ymarfer siarad am y lluniau.
● Rhaid i chi ymarfer gofyn y cwestiynau.

Gwneud poster neu luniau */**/***

● Beth am wneud poster neu luniau i fynd gyda'r stori?
● Ysgrifennwch frawddeg neu frawddegau o dan bob llun.
Bydd rhaid i chi siarad â'r plant am y poster neu'r lluniau yma.

Gwneud taflen */**/***

● Beth am wneud taflen fach i fynd gyda'r stori? Beth am gynnwys:
  ● geirfa anodd;
  ● y digwyddiadau pwysig;
  ● cwestiynau/cwis am y stori?

TAFLEN 12

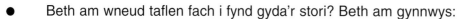

SYNIAD DA?

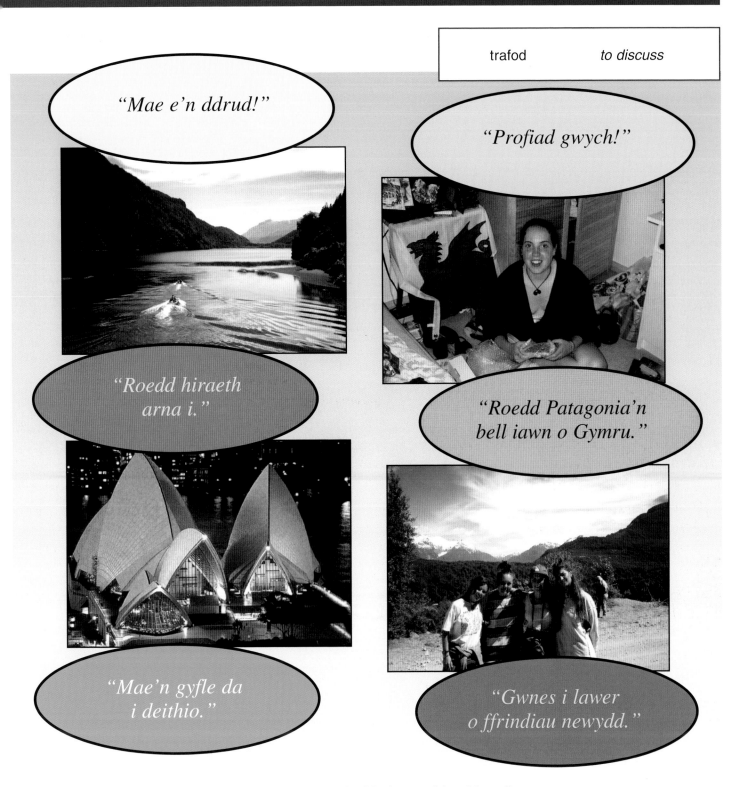

"Mae e'n ddrud!"

"Profiad gwych!"

"Roedd hiraeth arna i."

"Roedd Patagonia'n bell iawn o Gymru."

"Mae'n gyfle da i deithio."

"Gwnes i lawer o ffrindiau newydd."

Rydych chi wedi trafod profiadau Rhys, Eluned a Mari ar eu blwyddyn allan.
Beth rydych chi'n feddwl am y syniad o gymryd blwyddyn allan?
Syniad da? Syniad gwael?

Gwyliwch y fideo unwaith eto i weld beth mae Rhys, Eluned a Mari yn ddweud. Llenwch grid fel yr un yma:

	SYNIAD DA?	SYNIAD GWAEL?
RHYS		
ELUNED	*Roedd llawer o ffrindiau newydd yno.*	*Roedd hi'n bell o gartre.*
MARI		

Ydy cymryd blwyddyn allan yn syniad da?**/***

manteision	*advantages*	anfanteision	*disadvantages*

Rydych chi wedi trafod barn Rhys, Eluned a Mari am y flwyddyn allan.
Ond beth ydy'ch barn chi am gymryd blwyddyn allan?

- Edrychwch eto ar y tabl **Profiad da / Problemau** ar dudalen 128.
- Meddyliwch am fanteision ac anfanteision eraill.
- Gwyliwch ddiwedd y fideo i gael syniadau.
- Siaradwch am hyn mewn grŵp.
- Ysgrifennwch eich syniadau mewn grid fel yr un ar y tudalen nesaf.

146

MANTEISION	ANFANTEISION
Mae'n bosibl cwrdd â llawer o bobl ddiddorol.	Mae'ch ffrindiau chi'n bell ac rydych chi'n gallu teimlo'n unig.

👥👥 Chwarae rôl */**/***

Partner 1: Chi ydy'r Swyddog Gyrfaoedd. Rydych chi'n siarad gyda myfyriwr (eich partner chi) am y dyfodol.
- Gofynnwch beth mae'r myfyriwr eisiau wneud ar ôl gadael yr ysgol.
- Gofynnwch ydy'r myfyriwr eisiau cymryd blwyddyn allan.
- Gofynnwch pam.

Partner 2: Myfyriwr ydych chi. Rydych chi'n siarad gyda'r Swyddog Gyrfaoedd.
- Atebwch gwestiynau'r Swyddog Gyrfaoedd.
- Dwedwch: pam rydych chi eisiau cymryd blwyddyn allan

neu

pam dydych chi ddim eisiau cymryd blwyddyn allan.

- Gwnewch hyn ddwywaith.
Rhaid i chi fod yn Bartner 1 unwaith.
Rhaid i chi fod yn Bartner 2 unwaith.

Yn yr aseiniad yma:

Rydw i wedi siarad mewn grŵp.

Rydw i wedi siarad â phartner.

Rydw i wedi darllen hysbysebion.

Rydw i wedi ysgrifennu CV.

Rydw i wedi ysgrifennu llythyr cais.

Rydw i wedi chwilio am wybodaeth.

Rydw i wedi ysgrifennu Memo.

Rydw i wedi croesawu ymwelwyr.

Rydw i wedi cymryd neges.

Rydw i wedi rhoi neges.

Rydw i wedi gwneud poster.

Rydw i wedi defnyddio cyfrifiadur.

Rydw i wedi dweud stori.

Rydw i wedi gwneud taflen.

Rydw i wedi gwneud cardiau fflach.

Rydw i wedi ysgrifennu sgript.